Viver com fé

Viver com fé

HISTÓRIAS DE QUEM ACREDITA

Cissa Guimarães
Patricia Guimarães

gnt
Casa da Palavra

DIREÇÃO EDITORIAL
Martha Ribas
Ana Cecilia Impellizieri Martins

EDITORA
Fernanda Cardoso Zimmerhansl

EDITORA ASSISTENTE
Beatriz Sarlo

CONSULTORIA EDITORIAL
Melise Maia

COPIDESQUE
Beatriz de Freitas

REVISÃO
Tamara Sender

DESIGN GRÁFICO
Ana Carneiro
Thomaz Velho

ILUSTRAÇÕES
Thomaz Velho

FOTOS
Guga Millet

DIAGRAMAÇÃO
Filigrana

CIP-BRASIL. CATALOGAÇÃO-NA-FONTE
SINDICATO NACIONAL DOS EDITORES DE LIVROS, RJ

G977v

Guimarães, Cissa
Viver com fé / Cissa Guimarães; Patricia Guimarães. - Rio de Janeiro : Casa da Palavra, 2012.

ISBN 978-85-7734-295-2

1. Viver com fé (Programa de televisão). 2. Espiritualidade. 3. Fé. I. Guimarães, Patricia. II. Título.

12-7705. CDD: 248
CDU: 2-584

Equipe GNT

ANALISTA DE MARKETING
Maria de Paula Portugal

COORDENADORA DE NOVOS NEGÓCIOS
Flavia Abreu

GERENTE DE MARKETING
Mariana Novaes

DIREÇÃO GNT
Daniela Mignani

Este livro foi revisado segundo o Novo Acordo Ortográfico da Língua Portuguesa.

CASA DA PALAVRA PRODUÇÃO EDITORIAL
Av. Calógeras, 6, sala 1001 – Rio de Janeiro
21.2222-3167 21.2224-7461 divulga@casadapalavra.com.br
www.casadapalavra.com.br

Para Thomaz, João e Rafael,
que me ensinaram a ter fé no amor.

Cissa

Para Marina, Luca, Priscilla e Ricardo,
meus amores por todo sempre e de muita fé.

Para Gabi Figueiredo, que é minha
amiga de fé e irmã de alma.

Para Inês, que me ensina a ter fé em
mim e é joia rara em minha vida.

Tissa

SUMÁRIO

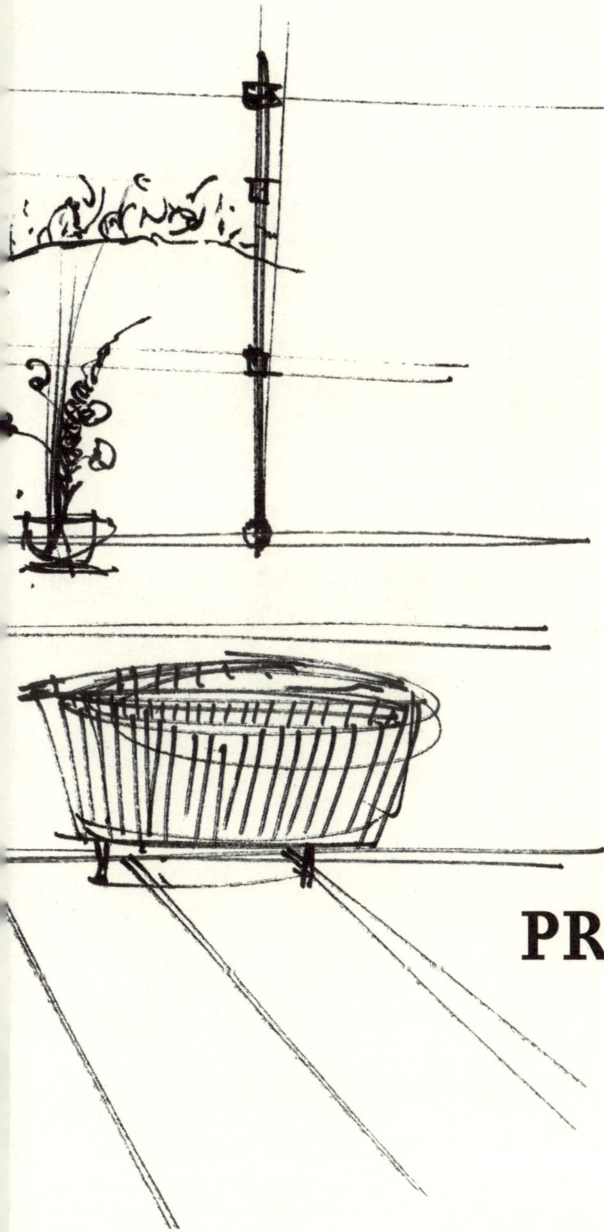

PREFÁCIO

Cissa e Tissa

prefácio

DO PRIMEIRO ENCONTRO AOS NOVOS OLHARES

Encontrar. Contar. Recontar. É assim que estamos neste momento. Nós. Sim, nós somos duas. Somos eu e ela. Tem horas que sou só eu, outras que é só ela. Sou Cissa, ela: Tissa. Sou Tissa, ela: Cissa. Eu, Cissa, apresentadora do *Viver com fé*, e eu, Tissa, diretora do programa, escrevemos este livro.

A quatro mãos, com muitos sorrisos, conversas e algumas lágrimas, escolhemos algumas das histórias de fé apresentadas no programa para, juntas, recontá-las, lançando um novo olhar sobre elas, a fim de inspirá-los. Assim, podemos compartilhar com vocês experiências de vida nas quais a fé foi a força motriz da transformação de sofrimentos em coisas muito maiores e melhores. A experiência de fazer esse programa foi tão forte em nossas vidas que resolvemos transmiti-la também aqui, nesta nova narrativa. E as pessoas iluminadas pela fé que conhecemos no *Viver com fé* são os reais protagonistas deste livro.

Não dava para escrever essa história sozinha. Para encontrar as pessoas que deram vida ao programa primeiro tivemos de nos reencontrar, assim como reencontrar nossa própria história, com algumas de nossas dores, amores e, sobretudo, com a nossa fé. Por isso, caro leitor, não estranhe o fato de que a primeira pessoa que lhes contará as histórias ora sou eu, a apresentadora do programa, e ora será minha diretora e parceira. Não queremos deixá-los confusos, Deus me livre! Apenas achamos que o partilhar dessa experiência de recontar poderia ficar ainda mais rico se abrangesse também a vivência real e fundamental desse primeiro encontro. Conhecendo um pouquinho de cada uma de nós, você não terá dúvida de quem estará lhe falando no decorrer da leitura, mas, se mesmo assim tiver, não importa! Pois lhe garantimos que neste livro o "eu" maior não é o meu nem o dela; o que aqui importa é o "eu" de cada um que compartilhou conosco momentos tão preciosos e importantes de suas vidas. Um "eu" generoso e estendido em algo muito maior pelas experiências de fé: um "eu" que tenta estar no mundo perto do intangível que se costuma reconhecer como Deus. Contudo, este livro não é sobre Deus. Este livro é sobre gente, pessoas que olham para Deus e para a vida com humanidade, amor e devoção.

E por que não começar contando um pouco sobre a história de como este livro foi feito? Por que não começar pela história do encontro de duas pessoas que, juntas, deram forma a um programa como o *Viver com fé*? Um programa de equipe com muita troca, vivência e comprometimento e que, apesar de ter sido realizado por duas pessoas, também revela uma maneira singular de olhar as histórias. Singular à apresentadora e à diretora.

Meu nome é Beatriz, mas me chamam de Cissa. Nem sempre foi assim... Quando nasci me chamavam de Tissa, no álbum de meu nascimento está escrito "Tissa" bem grande, logo na primeira página. A diretora se chama Patricia e no seu álbum de nascimento também está escrito Tissa bem grande logo na primeira página. Com o tempo, eu virei Cissa.

Nós somos duas mulheres que sempre buscaram seguir caminhos próprios em suas vidas, escolhendo os trajetos que fizessem mais sentido a cada uma. Somos diferentes, mas nos identificamos muitas vezes.

A Cissa sempre quis ser atriz, eu sempre quis contar história de gente. A Cissa se tornou atriz e apresentadora, eu me formei em antropologia, virei diretora de documentários e, mais tarde, de programas de televisão (mas acho que sou mesmo é uma contadora de histórias). A Cissa é famosa, eu não. Se a Cissa aparece, eu fico por trás das câmeras. Mas há horas em que a Cissa se mistura comigo e vice-versa. E é dessa mistura que nasceu o *Viver com fé*.

Toda vez que vocês me veem no programa podem estar escutando pela minha boca as palavras dela. Eu digo que esse programa foi o Rafa, meu filho, que me deu de presente. Ela diz que foi o Ricardo, seu pai, quem lhe deu esse presente. Nós dizemos que foi o Rafa e o Ricardo. É, eu passei por essa dor enorme da perda de um filho, a pior dor por que se pode passar. Diria até que é a pior do mundo. Uma dor que, quando vem, vem para ficar.

Eu perdi meu pai num momento em que eu não esperava. Não, ele não morreu por causa de um acidente, mas por uma doença traiçoeira que o levou rápido demais. Ele se foi um ano antes do Rafa. Quando o Rafa partiu, me deu uma dor enorme de ver a Cissa sofrendo tanto. Lembro que meu primeiro ato foi lhe dar um livro que contava a história de uma mulher que perdeu a filha e o marido num espaço de tempo muito curto.

Eu prefiro falar em passagem, não em morte. Para mim, o Rafa fez a passagem: renasceu em outro plano. Sempre tive fé de que as coisas não se encerram aqui. A Tissa nunca se perguntou muito sobre isso mas, como eu, ela sempre foi uma pessoa com fé na vida. Aliás, a fé entrou na minha vida muito antes da perda do meu filho caçula, que estava na adolescência, quando percebi que o meu desejo de felicidade era muito diferente daquilo que meus pais queriam para mim. Naquele momento para eles era impossível me compreender e me acolher com minhas escolhas. Ser atriz não era uma profissão muito bem-vista na minha família. Eu não só me tornei atriz como também saí de casa aos 17 anos para morar com o homem que eu amava. Duas escolhas que iam contra a vontade de meus pais. Eu saí e nem sequer olhei para trás. Mas fui também porque tinha fé. Foi nessa hora que descobri a imensidão de minha fé e a certeza de onde vinha a raiz de sua força. Eu podia ser forte pela fé. Logo entendi que eu teria sempre um lugar para me aconchegar na fé quando precisasse. Foi a partir daí que eu virei uma pessoa de fé.

Eu só busquei entender a minha fé, quer dizer, compreendê-la como um aconchego dentro de mim para aceitar o inexplicável, quando tive que dar conta da morte do meu pai. Foi bem difícil, mas sempre tive um compromisso tão forte com a vida que rapidamente entendi que seria pela fé que eu poderia achar novos significados para esse momento de dor e seguir em frente, não parar ali. Senti uma imensa ternura quando descobri que com fé eu poderia ir além da dor.

"Ir além da dor" é uma frase dela. Uma frase que ela costuma dizer que "tomou emprestada" da analista dela. Eu me reconheço muito nessa frase. Caminhar para além da dor virou o lema do nosso programa. O *Viver com fé* não fala da dor ou do sofrimento em si, mas sim do que as pessoas fizeram a partir dessa dor, como elas a transformaram em algo que vale uma história boa de contar. Eu fui chamada para apresentar um programa sobre fé no meio do processo de transmutação de minha maior dor. Em nenhum momento eu tive dúvida ou receio em aceitar esse convite mas, no começo de tudo, não sabia direito como seria. Disse sim, guiada pela minha fé.

Pensar um programa sobre fé era algo que tinha muito a ver comigo, não só por conta daquele momento em minha vida, mas também porque eu tinha uma curiosidade enorme pelas histórias das pessoas com fé. Meu pai era uma delas, era budista. Eu queria entender, chegar mais perto da fé que movia algumas pessoas. Com o tempo me afastei disso e muitos anos se passaram. Era quase fim de 2011 quando me vi com um desafio enorme: inventar um programa de televisão para falar de fé. A maior surpresa foi saber que neste desafio também estaria a Cissa, alguém que eu conhecia desde criança e que me inspirou desde sempre.

Na primeira reunião com a emissora, fui sozinha. Lá, descobri que a Tissa seria minha parceira nesse projeto e, junto com ela, outras meninas que também conhecia havia anos. Fiquei feliz. Na hora, o que me bateu foi uma sensação boa de acolhimento, seria uma equipe formada por pessoas de que eu já gostava. Estava num momento de sensibilidade aflorada, por isso sabia que precisava cuidar disso também.

Foi bom ouvir que a Cissa havia gostado da ideia de que eu seria a diretora do programa e que a Gabi, minha amada e competente amiga, seria nossa produtora executiva; mas sabia no meu íntimo que ela havia aceitado sem ter noção do que tínhamos nos tornado. Ela aceitou na fé, pois desconhecia quem éramos profissionalmente.

Não demorou muito para que eu me surpreendesse com o tamanho das meninas. Elas tinham crescido, eram adultas e profissionais. Confesso que essa foi uma surpresa que me acalmou muito. Eu tinha uma equipe de afetos e talentos, e foi com muito afeto e talento que fizemos cada set de filmagem e criamos um programa para contar histórias com muita delicadeza e respeito, antes de qualquer coisa.

O *Viver com fé* é um programa de encontros, com a verdade da fé e com cada história que iremos recontar. Aliás, foi a partir do encontro com Cissa que conseguimos inventar um programa tão cheio de verdade como esse.

Eu tive a Tissa como grande parceira nesse mundo de novos encontros, foi com ela que plantei o programa; e foi também com a Gabi, a Dani M., o Henrique, o Breno, a Fê, a Liza, a Marilia, a Ju, a Flavinha, o Gustavo, o Yan, o Pedrinho, o Thiago, o Manuel, a Mari, o Francis, o João, o Álvaro, o Luiz Henrique, o Flavinho, a Carol, a nova Ju, a Rita, o Guga, o Hildo, o Fabinho, o Miguel, o Alê e a Chris, que o semeamos.

Chegamos agora a um novo começo. Cá estou, Cissa e eu. Cá estamos nós a buscar palavras, afetos, lembranças e tudo o mais que nos pareça fazer sentido para recontar as histórias de fé que nos impulsionaram a renovar a nossa alegria de viver; histórias de fé que nos transformaram em duas pessoas comprometidas com um olhar cheio de candura sobre verdades tão próprias e tão universais.

Eu estou aqui com muita fé para conduzir vocês por alguns dos caminhos que percorri junto com a Tissa, durante os quais consegui transmutar aquela enorme dor, sem ter de me afastar de tudo com que sonho e em que acredito. Uma dor que é só minha e que só tive vontade de expressá-la aqui, porque foi a partir e apesar dela que descobri uma alegria tão boa de estar viva, tão forte que não podia deixar de compartilhá-la com cada um que me acompanhou no percurso; alegria que não podia deixar de devolver a cada um que reconhece neste livro os muitos sentidos desse nosso aqui e agora. Convido você, que se percebe nesse "cada um", a vir com a gente para bem perto de algumas maneiras felizes de se *Viver com fé*.

A partir daqui o "eu" somos nós. Sou eu, Cissa, e sou eu, Tissa.

FÉ NOS CAMINHOS:
A FÉ NÃO COSTUMA FALHAR

Maria Bethânia
Clara Magalhães

Cresci em uma família católica e desde pequena aprendi a gostar de imagens de santos, terços, orações etc. Com o tempo, fui tomando outros caminhos, conhecendo outras religiões e aprendendo a gostar e até a me apegar a mais crenças e símbolos. Símbolos de fé.

A fé é assim: ela te faz agregar, desvendar, realizar. Ela te faz querer buscar toda e qualquer ligação com você mesmo.

Sempre acreditei que existe algo invisível que nos guia por muitos caminhos, ajudando-nos a aceitar, a reconhecer e a lutar. Para alguns, essa força invisível é indizível, mas para mim pode ser chamada de fé. Fé na vida, fé na gente, fé no amor, fé em Deus. E ter fé é acreditar que esse invisível que nos move pode nos ajudar a viver melhor neste mundo. Independentemente das crenças, dos costumes, das tradições e dos rituais, a fé pode nos conduzir pelos caminhos da vida que buscamos, ajudando-nos a não nos desesperarmos diante dos obstáculos, a acreditar no impossível e, sobretudo, a não desistirmos do que nos faz bem. As pessoas que são movidas pela fé acreditam que ela é capaz de mover cada um de nós em direção ao que realmente queremos ser.

Quando resolvi expandir esse meu olhar para outras vidas e outras histórias, percebi que existiam muitas pessoas que, como eu, acreditavam numa fé que move. Bethânia era uma delas.

Era começo de maio, uma época em que o Rio de Janeiro, cidade onde moro, fica com uma luminosidade muito especial. Há tardes de maio que, para onde a gente olha, sente Deus. Fica tudo tão lindo que temos a nítida sensação de que Deus é visível nesse tudo. Em maio, tudo o que é visto aqui no Rio parece ser mais bonito. Foi numa tarde dessas, quando voltava para casa andando pelas beiras das praias da zona sul, que escutei uma linda canção-poema de Bethânia, e que, mais uma vez, tive a certeza de ela ser uma pessoa movida por muita fé. Ela cantava:

Eu tenho Zumbi, besouro, o chefe dos Tupis
Sou Tupinambá, tenho Erês, caboclo boiadeiro
Mãos de cura, morubixabas, cocares, arco-íris
Zarabatanas, curares, flechas e altares
A velocidade da luz no escuro da mata escura
O breu, o silêncio, a espera. Eu tenho Jesus,

Maria e José; todos os pajés em minha companhia
O Menino Deus brinca e dorme nos meus sonhos

Rapidamente, estas palavras de Bethânia vieram para mim com a força de uma oração, como um verdadeiro ato de fé. Tive fé nelas e uma vontade incontrolável de ir ao seu encontro para falar sobre a fé.

Maria Bethânia Vianna Teles Velloso nasceu em Santo Amaro da Purificação, cidade do Recôncavo baiano, e é a caçula de uma família de seis filhos de barriga e de dois adotados por sua mãe, Dona Canô, e seu pai, Seu José. Quase todos vocês devem conhecer essa cantora de traços fortes, cabelos fartos e agora grisalhos, de elegância ímpar e de voz monumental. Muitos já devem saber que ela tem uma relação com o universo religioso, pois nunca escondeu isso. Mas poucos, eu acredito, têm a plena consciência da dimensão que o sagrado ocupa em sua vida. E mais ainda, do quanto a menina, a moça e a mulher Maria Bethânia seguiu, e ainda segue, o caminho do mundo daqui a partir de sua conexão com o mundo de lá. Digo isso porque até eu, que já a conhecia de perto, me surpreendi quando conversei sobre isso com ela, com o tamanho e a verdade de seu jeito único de viver com fé.

Quando fui me encontrar com Bethânia, ainda era maio e ela havia acabado de chegar de uma viagem a Portugal – mais uma vez tinha ido ao Porto, a Lisboa e a Fátima visitar Nossa Senhora. Ela veio inteiramente Bethânia:

cabelos soltos, sorriso largo, olhar profundo, contas no pescoço e coração aberto para falar. Antes de começarmos nossa conversa, me deu um abraço bom e pousou seus dedos num piano que tinha em uma das salas da casa em que estávamos, saudando nosso encontro com uma bonita melodia. Depois, sentamos lado a lado diante de uma janela aberta, através da qual se via outro canto da casa bem verde, e que, com a luz de maio, parecia ainda mais verdejante. Ora olhando bem no fundo dos meus olhos, ora olhando para o verde infinito lá de fora, essa Maria, que também é Bethânia, começou a falar.

Pedi que ela começasse a contar sobre sua família, para que eu pudesse, assim, chegar ainda mais perto de suas raízes, de seu começo. Ela não hesitou.

Família grande do Recôncavo baiano, matriarcado. Tive pai e mãe apaixonados a vida toda, sempre se amaram. Somos oito irmãos, agora sete, com a morte da minha irmã mais velha. Somos desses com toda essa herança bonita, africana, mas também da nobreza. O Recôncavo foi a região mais rica da Bahia e uma terra de poetas, uma terra ligada à cultura, muito samba bom, o melhor que há. Meu berço é católico, somos uma família católica, fui educada em colégio de freiras, do primário até o admissão, depois fui para uma escola mista e pública em Salvador. Caetano é o meu irmão mais próximo, tem quatro anos a mais. Nossa padroeira é Nossa Senhora da Purificação, é dona de todos nós. Temos por ela uma reverência e uma relação de intimidade ao mesmo tempo. É nossa mãe, é nossa casa, é tudo.

Essa é Bethânia. Já na primeira fala se coloca de corpo e alma. Sem medos, sem receios, sem rodeios. Diante dela, eu também sentia reverência e intimidade. E foi oscilando entre a reverência e a intimidade, que fui percorrendo os seus caminhos, procurando chegar cada vez mais perto de sua verdade de fé. Essa Maria baiana me contou que, aos 17 anos, correndo atrás de um sonho, veio parar no Rio de Janeiro para substituir a cantora Nara Leão no espetáculo *Opinião*. No Rio chegou, fez sucesso e ficou.

Eu fui embora com 17 anos, e você imagina, há 47 anos isso era ser menina mesmo. Tive que amadurecer, sair da infância e da adolescência para ser mulher. Responsável pela minha vida tão nova por conta do sucesso. Então, aquilo me obrigou a mudar completamente.

Antes de vir para o Rio, Bethânia foi viver em Salvador com Caetano. E foi lá que se encontrou e se encantou com outra religião.

Naturalmente, chegando a Salvador nos afastamos um pouco da Igreja da Purificação, e Salvador tem aquela natureza africana nítida demais que nos atraía. Aquilo era e é fascinante, fomos atraídos, graças a Deus. E aí, com alguma autonomia, eu pude escolher o candomblé como uma outra religião, uma outra maneira de venerar, de estar com Deus e com os deuses. O que me interessou no candomblé foi ser uma religião ligada à natureza. Eu tenho essa atração pela natureza, cada elemento é de muita força, e o fato de cada um ser um deus no candomblé, para mim, foi uma descoberta, posso dizer que cheguei ao paraíso. E também por já gostar muito de música e de demonstrar com o corpo esse prazer. O candomblé nos proporciona isso.

Bethânia encontrou no candomblé a liberdade de fé e de espírito que queria para sua vida. Um feito que me encanta e que demonstra sua capacidade enorme de encontrar uma ligação com o lado espiritual. Aquela baiana, ao mesmo tempo austera e serena, agregava à sua fé tudo o que lhe fizesse sentido. Para ela, não existe dogma ou preceito capaz de impedir sua caminhada em direção ao Deus maior e supremo, um Deus que não prega a culpa nem o medo. Com toda sua imensidão, Bethânia se colocou diante dos meus olhos como uma mulher de fé infinita.

Eu não poderia viver sem fé, sou um espírito muito livre. De certo modo, ela me dá limites e me abre portas, eu posso tudo porque creio. Eu tenho que refrear muitas coisas na minha vida porque creio. É imprescindível. Não gostaria de viver sem fé. Morro de pena quando alguém me diz que não crê em nada. Deve ser uma solidão, mas eu tenho fé.

Uma fé que não é temente a Deus e que se fortalece em uma relação profunda com Nossa Senhora. As histórias de Bethânia com Nossa Senhora são de uma candura...

Adoro tudo sobre ela. Adoro o fato de ela ter sido uma mulher apaixonada por São José, adoro aquela história toda. Só contam até a hora em que Cristo morre, mas o tempo passa e ela tem outros filhos. Ela vive lindamente, gostava de dançar. Cantar. Era uma mulher linda. E filha de Nossa Senhora de Santana e São Joaquim, por quem sou perdida de paixão. Em toda procissão de Nossa Senhora, eu que mando refazer as imagens deles, porque vêm antes dela. Os pais vêm para nos apresentar a ela. Eu fico com as invocações. Nossa Senhora da Purificação é minha mãe, sou dela. Eu tenho sonhos com ela, gosto muito de sonhar. Sonho todas as noites. E com Nossa Senhora tenho tanta relação de confiança, que inúmeras vezes eu sonho estar em Santo Amaro, onde tem um almoço de aniversário em que ela vem. Pergunto se quer um suco e tudo. É sempre a Nossa Senhora da Purificação. Eu acho tão lindo quando sonho assim com ela. E ela nunca fala, é só aquela presença.

Nessa hora, me lembrei daquela tarde de maio em que, ao me movimentar pela cidade de linda luz, escutava como oração as palavras da minha Bethânia na canção:

> Não misturo, não me dobro. A Rainha do mar
> Anda de mãos dadas comigo, me ensina o baile
> Das ondas e canta, canta, canta para mim
> É do ouro de Oxum que é feita a armadura que guarda o
> Meu corpo, garante meu sangue, minha garganta
> O veneno do mal não acha passagem e em meu
> Coração Maria ascende sua luz, e me aponta o caminho
> Me sumo no vento, cavalgo no raio de Iansã
> Giro o mundo, viro, reviro. Tô no Recôncavo
> Tô em Fez. Voo entre as estrelas, brinco de
> Ser uma, traço o Cruzeiro do Sul com a tocha
> Da fogueira de João Menino, rezo com as três Marias
> Vou além, me recolho no esplendor das
> Nebulosas, descanso nos vales, montanhas, durmo
> Na forja de Ogum, mergulho no calor da lava
> Dos vulcões, corpo vivo de Xangô

De novo, me senti viva numa enorme fé, acolhedora e impossível de se duvidar. Da fé de Bethânia não dá para se duvidar. Ela mesma, nunca, em nenhum momento de sua vida, mesmo naqueles mais amargos, lembra-se de ter posto sua fé em dúvida. A entrega de Bethânia à fé é parte também de sua humanidade.

Em momento nenhum, seja duro, feliz, magoado, amoroso, confuso ou sincero, eu deixei de ter fé. Aquilo ali é meu. Humanidade é isso. Tenho fé assim como preciso do ar. Para mim é imprescindível. Sem isso não sinto que estou inteira. Preciso de alguns limites, disciplinas, porque meu espírito é muito livre, solto. Assim, eu tenho onde me segurar quando vejo que estou voando muito alto. Mas me seguro para melhorar o rumo, não para cortar a asa. E disso não abro mão, não devo, não posso, não quero.

Olhando pela janela, percebo que o verde não reluz mais tanto, era o tempo se fazendo presente e mostrando o quanto eu tinha caminhado ao lado de Bethânia, naquela manhã ensolarada pela poesia da luz de maio no Rio de Janeiro. Era hora de me despedir, de deixar seguir... Mas, antes de ir por outro caminho, me lembrei de três palavras que sabia que Dona Canô, mãe de Bethânia, adorava falar: amor, festa e devoção. Qual seria o sentido delas no mundo de Bethânia?

Isso é lição de minha mãe sobre a vida. Ela fala que ninguém pode viver sem amor, festa e devoção. Está cada dia mais esplendorosa na sabedoria. Minha mãe reza demais, muito. Não é carola, ela reza, sabe rezar bonito, bem. Palavra tem força. Quando vou estrear, antes de subir no palco, gosto de ligar para minha mãe e pedir sua benção. Ela me abençoa sempre assim: "A você e a todos que lhe acompanham." Porque você sozinho não é nada. Vou subir no palco sozinha? Todos me acompanham. Os visíveis e invisíveis. Eu sou assim. Acredito nos invisíveis. Quero sentir, não quero entender. Estou com 65 anos, minha cabeça está com tanta palavrinha, tanta coisa, não quero entender nada. Quero sentir.

Levanto, olho para ela e, como num silêncio sagrado do sentir, sigo adiante no caminho de um novo encontro.

Foi muito bonito presenciar o encontro da Cissa com a Bethânia e escutar a maneira com que as duas falavam de fé e de vida com tanta proximidade, com tanta simplicidade. Para mim, ainda era muito surpreendente estar tão perto de pessoas que traziam a fé para tão perto de si e de suas humanidades.

Agora, era a minha vez de conduzir Cissa a um novo encontro. Desde pequena, eu ouvia a história de uma moça paulistana chamada Clara, que havia se casado com o filho do melhor amigo de meu avô materno. Todas as histórias que contavam de Clara falavam dela como uma pessoa iluminada por Deus e Nossa Senhora. Confesso que não entendia bem o que queriam dizer com aquilo, pois a via apenas como uma mulher extremamente católica. Ela era professora de catecismo de minhas primas, tinha convencido uma de minhas tias a ser crismada, organizava encontros para rezar terços e ainda era dona de uma loja de artigos religiosos. Porém, quando surgiu o *Viver com fé*, a primeira pessoa que veio a minha cabeça para contar sua história foi Clara. Independentemente de sua religiosidade, ela tinha uma coisa que me intrigava muito e motivava a querer, naquele momento, chegar mais perto: tinha um olhar que transmitia paz, tão profunda que não parecia vir deste mundo. Além disso, era sabido que Clara também tinha passado por uma enorme dor. Aliás, uma não, várias.

Após se casar com o homem com quem sonhava construir uma família, Clara passou por situações muito duras, durante as quais teve de dar suporte firme a seu marido. Com um pouco mais de dois anos de casada, amamentando ainda seu primeiro filho, passou por um grande choque ao lado do marido Thomaz, cuja única irmã se jogou do oitavo andar de um prédio de classe média alta em São Paulo. Deixou dois filhos pequenos, pai, mãe, irmão e cunhada chocados e apavorados.

Minha cunhada, que estava no seu segundo casamento, tinha se separado e estava muito mal. Eu sentia que ela estava com muitos problemas, que não tinha espiritualidade nenhuma. Ela não admitia a separação, queria a pessoa de volta de qualquer jeito e não aceitava que fosse diferente. Eu dizia: "Deus é misericordioso, se você acha que não agiu direito, se agarra em Nossa Senhora, você vai ver." Ela queria me ouvir, mas não conseguia. Era uma das mulheres mais lindas que conheci, mas estava numa tristeza, num desamparo... Tinha duas filhas, duas meninas lindas. Mas não tinha olhos para elas, só para a dor do amor que a deixou.

Era Natal, estávamos com a minha família e, de repente, lembro que estava trocando a fralda do meu filho, quando o telefone tocou. Meu marido atendeu, passou correndo por mim, gritou "Reza" e saiu em seguida, com o carro derrapando. Eu nem sabia o que era. Fiquei apavorada. Depois de um tempo, ele me ligou com a notícia que eu jamais queria receber: minha cunhada tinha se jogado do oitavo andar. Aquela mulher linda...

Antes da tragédia, quando havia chegado ao apartamento, ela estava caída no chão, aos prantos. Ele ainda sentou perto dela e a convenceu de que deveriam ir para uma clínica. Ela pareceu aceitar. Então, quando foi levá-la ao quarto para que pudesse buscar suas roupas para irem ao hospital, ela pediu um minutinho para pegar umas coisas que estavam no banheiro. Ele não sabia que no banheiro havia uma janela. Ela entrou, bateu a porta e se trancou. Thomaz, quando se deu conta de que ela tinha trancado a porta, correu para arrombá-la, se machucou todo. Quando conseguiu, acabou vendo o que não queria ver. Ainda tentou segurá-la, mas não conseguiu. Ela ainda olhou para ele antes de se jogar. Foi um choque.

Ela era uma das mulheres mais lindas que conheci na vida, loira, alta... De uma beleza... Meu marido ficou mais de um ano sem dormir, porque queria ter salvado a irmã. Ele é forte... superforte. Naquela época, já morávamos no Rio, e ele corria na Lagoa, andava a cavalo. No auge do seu desespero com a morte de Carminha, sua irmã, ele dizia: "Na hora que mais precisei usar da força para salvar minha irmã, ela estava na minha mão... eu não consegui." Eu dizia: "Thomaz, a última coisa que você queria era isso. Você não pode se culpar por isso. Deus vai mostrar um sinal para você se ver livre dessa culpa. Ele vai mandar um sinal de vida para você, morte não se cultiva." A gente tem que saber que são coisas da vida... Ela estava num momento de tanto desespero... Não sabia o que estava fazendo. Eu orei muito, sabia no meu íntimo que Deus teria misericórdia dela e de nós. Nove meses depois, exatos nove meses depois da morte trágica da Carminha, nasceu nosso segundo bebê, uma menina linda que chamamos de Chiara.

Para Clara, a vinda de Chiara era, sim, um sinal divino. Era a prova daquela misericórdia de Deus que havia aprendido e conhecido quando criança, e com a qual crescera acreditando e se fortalecendo. Era a certeza de que tudo tinha uma razão de ser, mesmo que pudesse nos parecer tão incabível, e que deveríamos aprender a aceitar, e com mais força, com mais alegria, retornar à vida. A vida que reconhecíamos e queríamos, a nossa vida com fé, amor e realidade.

Para Thomaz, marido de Clara, a chegada de Chiara trouxe muito amor, o fez sorrir, ver o pai e a mãe sorrirem. Mas não lhe trouxe a paz espiritual da qual sua mulher tanto lhe falava. Thomaz não havia ainda tido aquele encontro com a fé que Clara esperava. Mas ela sabia que era uma questão de tempo, perseverava e, sem duvidar nunca, continuava rezando para isso.

Ele não gostava muito de me ver rezando. Ainda mais por estar se sentindo tão mal, o fato de eu rezar incomodava, mas eu não parava. Trancava-me no banheiro e acendia uma vela. Estava muito sozinha, mas me agarrei a Deus. Fazia aquilo que minha mãe me ensinou, ia para o banheiro com o terço na mão, me ajoelhava, acendia a vela e falava: "O Senhor é minha luz, minha salvação, que a Sua luz seja a salvação para o meu marido que precisa tanto. Eu não sei como curar esse trauma dele, mas Você pode."

Ele começou a ficar depressivo. A tristeza influencia muito e não tem utilidade nenhuma, está na Bíblia. Descobri que, mais do que palavras, minha oração ia salvá-lo como vi salvar tantas pessoas. A Chiara foi crescendo, o Thomaz Filho também, e meu marido foi se deixando tocar e se transformar pelo amor dos filhos. Ele estava tendo uma família unida pela primeira vez. E eu continuava a rezar. Estendia cada vez mais minhas orações. Mamãe sempre dizia: "Mãe de joelhos, filhos de pé." Eu falo: "Mulheres de joelhos, maridos de pé. Filhos de joelhos, pais de pé." A oração nos leva à ação que nos dá a solução.

Um pensamento me assola agora: será que estou conseguindo transmitir o quanto a fé de Clara se sustenta nos ritos e preceitos do catolicismo, mas o quanto também ela vai além dele? Para Clara, é impensável separar religiosidade de fé; mesmo assim, sua percepção e vivência do que é fé ultrapassa, e muito, a de um católico habitual. Ela não é uma beata, é uma pessoa que tem uma conexão fortíssima e pulsante com Deus, Jesus Cristo, Nossa Senhora e com o Espírito Santo. Talvez só olhando nos olhos de Clara fique evidente que essa sua verdade é muito maior do que qualquer dogma religioso.

Lembro-me de uma tarde de verão, daquelas absurdamente quentes aqui no Rio de Janeiro, em que estava muito aflita, pois tinha questões pessoais complicadas para dar conta naquele dia. De repente, uma voz interior me sopra "Clara". Escuto. Vou até ela e, sem falar nada, ela me olha, me abraça, me pega pela mão, me leva para um cantinho no fundo de sua loja e me faz uma oração. Sinto meu corpo quente, pulsando mesmo e, com o tempo, meu coração vai cedendo, vou respirando mais leve e me sentindo melhor. É, a Clara tem esse poder.

Voltando a sua história. Parece que Clara, à medida que crescia com uma educação religiosa formal, foi se dando conta de que a sua fé tinha outra força que a conduzia para uma enorme paz espiritual: uma missão. Foi acreditando nisso que ela encontrou forças para encarar, ao lado de Thomaz, mais um drama familiar. Algum tempo depois do suicídio da cunhada, o que parecia impossível aconteceu: seu sogro se suicidou com um tiro no peito. Thomaz voltou a se desesperar e a se desiludir com as "promessas de fé" preconizadas por ela, mas isso não a intimidava.

O que eu tentava mostrar para o Thomaz era que a melhor coisa é a paz de espírito. Quando você busca, mesmo que você sofra, se tiver a paz de espírito, tem tudo. E eu me agarrava ainda mais ao terço, meu terço era minha arma. Orava sem parar. Não era coisa fácil o que ele tinha que enfrentar. Era pai, era irmã... Pessoas que ele amava. Perguntava-se o porquê e esse questionamento atormentava sua cabeça. Todo mundo olhava para mim e pensava: "Nossa, essa aí casou para sofrer." E eu dizia: "Não, Deus me deu uma missão. Salvar a família do meu marido, ele próprio, e quebrar essa maldição." Nunca me dei ao luxo de esmorecer. Se você se entregar, piora tudo. Arrumava formas de me superar. Comecei a ir todos os dias à missa. Lia a Bíblia, Salmo 90, armadura do cristão, que dizia: "Armas contra forças do mal." Sabia que não estava enfrentando uma batalha pequena. E ver meu marido derrubado me doía todos os dias. Eu tinha que ser a luz dele, tinha que representar a luz de Deus. Continuei firme nas minhas orações, no meu propósito. Quanto mais você se entrega em vez de questionar, mais você tem paz de espírito e vai conseguindo viver. Eu pensava que meus filhos precisavam da minha alegria, e queria que eles transmitissem para o pai a alegria que sentiam como crianças. Eu dizia: "Vamos alegrar o papai!" E juntos inventávamos mil maneiras, um monte de brincadeiras para fazer o Thomaz sorrir. E ele sorria.

Nada para Clara parecia sem propósito. Sua fé era como uma extensão de seu próprio ser. Foi educada numa família de muita fé, de dez irmãos, mas com ela tudo ganhava outro tom; Clara portava, desde muito cedo, um dom. Foi depois desse encontro com Clara no programa que entendi que era esse dom a tal iluminação que falavam nas minhas histórias de criança. Ela não era, não é, nem nunca foi apenas Clara; nem no nome.

Meu nome é Clara Maria Rita. Clara, por causa de Santa Clara. Maria por causa de Nossa Senhora, e Rita porque meu parto estava difícil e minha mãe falou: "Se for nascer agora vai ser Rita também para mostrar a intercessão de Santa Rita das causas impossíveis." Dei o nome igualzinho para minha filha, só que em italiano, Chiara, para ficar diferente, para ser luz do mundo. Mamãe dizia que Clara é luz e que tinha que ser luz de Deus no mundo. Uma família com dez filhos, você pode imaginar quantas coisas alegres aconteceram e quantas coisas difíceis eu vivi. Vi quantas delas a gente vencia segurando um terço na mão e não perguntando o porquê, e sim para quê. Assim é que você chega a uma solução e a um crescimento espiritual. Vi minha irmã quase morrer na minha frente, meu irmão, o primeiro depois de cinco mulheres, ficar quase cego. Vi na minha mãe e no meu pai uma estrutura, uma fortaleza que não era do mundo, era de Deus. Falo que, muito mais que palavras, são os exemplos que arrastam. Cresci querendo ter uma família como a que eu tinha, com muita fé e paz de espírito. Queria passar para meus filhos, ou para quem fosse, aquilo que vivi no meu dia a dia, ao lado de meus pais e irmãos. Era uma responsabilidade minha dar continuidade a isso, e quando conheci o Thomaz, via nele um homem que tinha um sonho de ter uma família.

Com a família formada e vivendo um período de mais alegrias do que dores, Clara foi pega de surpresa numa manhã de sábado por um tombo que não só derrubou seu marido do cavalo, como também lhe tirou a capacidade de andar pela vida com as próprias pernas. Thomaz caiu do cavalo e ficou paralítico. Ela, com dois filhos de então 11 e 9 anos, tinha novamente que buscar sentido no indizível a fim de encontrar novas forças para lidar com a dura e crua realidade que se impunha, mais uma vez, na vida de sua família. Não esmoreceu. Foi adiante. Encarou aquele novo fato de uma maneira tão digna, tão grandiosa e com tanta fé, que transformou mais um drama familiar num exemplo de superação e renovação. Clara, com sua fé fervorosa, transformou o sofrimento do marido numa nova experiência de vida e, finalmente para ele, de entendimento espiritual.

Não foi fácil. Não foi sem dor. Thomaz, além de empresário bem-sucedido, era um homem voltado para os esportes, fazia ginástica, andava de bicicleta, corria na Lagoa. Amava cavalos. Todas as manhãs, antes de ir para o escritório, montava e saltava. Até que um dia, em uma manhã, levou um tombo que o deixou não só sem movimentos, como com problemas no coração, apenas metade de um pulmão em funcionamento, sem equilíbrio e, sobretudo, sem saber como seria seu dia de amanhã. Nem de depois de amanhã. Nem da semana seguinte, nem...

Foram momentos duros e de muita dor que Clara passou ao lado de Thomaz nos primeiros meses de sua recuperação. Eram dias e noites infindáveis num hospital, sendo confrontada, mais uma vez, com o desespero e a dor do homem por quem era perdidamente apaixonada. Com o terço em punho, clamava pela intercessão de Maria, se ajoelhava, acendia vela, rezava e não duvidava, confiava e não hesitava.

Sem nunca perder a fé, foi nos braços de Nossa Senhora que Clara se aconchegou e entregou a sua dor e a de seu marido. Orou. Clamou. Maria a escutou. E num dos dias no hospital de maior sofrimento para Thomaz, quando já havia tomado toda a dose de morfina prescrita e possível, chegou para visitá-lo uma imagem peregrina de Nossa Senhora de Fátima pelas mãos de um padre que ele desconhecia, mas que havia sido levado até lá por uma conhecida de Clara. O padre e a imagem chegaram sem avisar. Também, sem avisar, tocaram profundamente a alma partida de Thomaz. Era a Nossa Senhora que Clara havia suplicado uma benção. E era ela que tinha ido até Thomaz na invocação de Nossa Senhora de Fátima. Não existiam dúvidas. Só comprovações.

Pedi a Nossa Senhora para ver meu marido sorrir novamente. Eu não pedi para ele andar, eu pedi para ele sorrir. Fiz uma promessa a Nossa Senhora. Prometi que o primeiro lugar aonde iria, ao sair dali, era a Fátima, para agradecer.

O tempo passou. O longo período de recuperação hospitalar de Thomaz chegou ao fim, e finalmente era a hora de agradecer por estar vivo; sem andar, com inúmeras limitações, porém vivo. Clara foi a Portugal, assim como Bethânia, foi até Fátima para visitar Nossa Senhora, e não foi só. Com ela estava seu grande amor de cabeça erguida em sua cadeira de rodas, sorriso no rosto, gratidão no olhar e coração repleto de fé.

Quando entrou em Fátima, Thomaz só chorava. Ele quis ir à primeira, à segunda missa; quando foi a terceira missa, vi que o padre era brasileiro. Chegamos até ele, que nos contou que havia estado dois anos antes com a imagem peregrina no Brasil. Na hora em que falou "imagem peregrina", perguntei se foi ele quem tinha ido àquele hospital e ele perguntou se era o Thomaz que havia caído do cavalo. E era. Lá estávamos eu e Thomaz, dois anos depois ao lado da mãe que nos salvou e nos devolveu nossa alegria de viver. Se você confia em Deus e em Nossa Senhora, sempre tem *happy ending*. Uma pessoa que não tem, sobrevive, acha que alegria está em ter e não em ser. Com a fé você administra tudo diferente, a alegria, a tristeza, a família, tudo de forma diferente. Os problemas não são para a gente sofrer, mas para a gente crescer. Quando se enfrenta um sofrimento com dignidade, com fé, mais tarde se vê o resultado. A dor não é maior do que o amor.

Quando reconto essa história, adoro me lembrar das expressões da Cissa ao escutar Clara falar. É linda a sua capacidade de escuta; é lindo como ela era capaz de falar com o olhar e, assim, conduzir Clara a refazer os caminhos de seus sofrimentos com um dizer para além da dor. Foi lindo ao fim da conversa, quando Clara olhou fundo nos olhos da Cissa e deixou seu coração falar.

A gente não é termômetro para saber quem sofreu mais, mas Nossa Senhora que dá o colo. Eu vejo isso em você. Com esses olhos verdes-esmeralda e da cor do manto azul da Nossa Senhora. Você passa essa alegria que o mundo quer nos roubar, e seu filho deve estar pensando: "Essa é a minha mãe!" Diziam que meus filhos iam ser complexados, um deles colocou meu marido para esquiar na Lagoa. Os amigos tinham dado o esqui nas nossas bodas de prata e ele, que nunca tinha esquiado na água, virou esquiador profissional, competindo na Bélgica e na Austrália. É o único brasileiro que venceu um campeonato mundial e, quando chamaram Thomaz Magalhães, comemorei toda vestida de Brasil. É a vitória da fé. A pessoa que tem fé acredita, não tem vergonha. Quando minha filha ia se casar na igreja, eu perguntei como ela queria entrar na igreja e ela disse que queria entrar com a arma que salvou a mim e ao seu pai: o terço. Ela entrou com o terço na mão e com o pai ao lado em sua cadeira de rodas, o pai vitorioso. Quem tem vergonha é aquele que rouba, trai, ele é vencedor. Virou escritor e palestrante, *happy ending* pela glória divina. Nada vai tirar minha garra, minha fé.

E, enfim, como que guiada por uma luz divina, ela abriu a Bíblia e leu a primeira passagem na qual seu olhar pousou: "Meu filho, se entrares para o serviço de Deus, permanece firme na justiça e no temor, e prepara tua alma para a provação; humilha teu coração, espera com paciência, dá ouvidos e acolhe as palavras de sabedoria; não te perturbes no tempo da infelicidade, sofre as demoras de Deus; dedica-te a Deus, espera com paciência, a fim de que no derradeiro momento tua vida se enriqueça. Aceita tudo o que te acontecer. Na dor, permaneça firme; na humilhação, tenha paciência. Pois é pelo fogo que se experimentam o ouro e a prata, e os homens agradáveis a Deus, pelo caminho da humilhação. Põe tua confiança em Deus e Ele te salvará; orienta bem o teu caminho e espera nele. Conserva o teu temor a Ele até a velhice."

Por fim, completa: "A Bíblia fala que a alegria é tudo."

A partir daquele dia, Clara, com sua luz, virou uma espécie de intercessora de Deus nos nossos caminhos. Sempre apta a nos estender as mãos, a sorrir, a ajudar, a orar e a não nos deixar esquecer que é na alegria o nosso grande encontro de fé.

FÉ NA LIBERDADE: LIBERDADE DE SER DO JEITO QUE SE É

Virgínia Diniz Carneiro

fé na liberdade: liberdade de ser do jeito que se é

Ter liberdade de escolha. Liberdade de ir e vir. Liberdade para pensar. Liberdade para rir alto, chorar quieto, sonhar sem limites... Liberdade para acreditar. É, sempre acreditei muito, mas várias vezes não parei para olhar e compreender no que eu estava acreditando. Acreditava em mim mesma. Acreditava na vida. Acreditava no que eu via. Acreditava no meu desejo. Acreditava nisso tudo e em algo muito maior: no que eu não via. Acreditava no que eu não sabia explicar, na existência de outra ordem que me guiava pelos caminhos e conduzia meu olhar. Mas era tão íntimo isso que eu portava, que guardava comigo e não colocava para o mundo. As pessoas não me olhavam, não conversavam comigo e percebiam: "Ah, ela é uma pessoa iluminada pela fé", ou então: "Ela é uma pessoa com uma espiritualidade..." Eu sempre ouvi que era alegre, forte, um pouco "da pá-virada", intensa, cheia de vida! Foi isso tudo que sempre transmiti para o mundo.

Um dia isso mudou, e me senti livre para ser também para fora o que eu já era para dentro. Aconteceu quando me senti livre para, no momento mais cruel da minha vida, deixar fluir, circular mesmo a minha dor, sem qualquer pudor, sendo apenas leal a tudo que sentia naquela hora; aí, naturalmente, comecei a transmitir a todos perto de mim minha verdade mais íntima: a espiritualidade que eu portava. Foi tão bom isso! Foi tão importante me sentir capaz de acolher minha espiritualidade... Com isso, ampliei, e muito, a minha leitura do que era ser livre, do que era me colocar com liberdade diante da vida e dos outros. Passei a fazer as coisas nas quais eu acreditava sem me preocupar com o que os outros pensariam a respeito; me senti até mais honesta comigo mesma. Eu me senti mais inteira... fazendo mais sentido para mim. É muito estranha essa sensação de se sentir inteira ao expressar uma verdade que emerge de quando se está quebrado, com a alma em pedaços e o coração aos pulos. Mas estar assim e saber que eu tinha no que me agarrar me fez não me perder num vazio no qual minha alma nunca esteve; me fez não me perder numa tristeza que também nunca foi minha e que eu não poderia deixar aderir a minha pele como ferrugem. Fé e tristeza são duas coisas que não combinam. Essa lição eu aprendi com a vida, com São Francisco de Assis, mas também com uma mulher linda e livre chamada Virgínia que conheci por conta do meu programa *Viver com fé*.

Virgínia foi casada por 55 anos com Paulo, teve seis filhos e perdeu três, contraiu poliomielite quando bebê e, desde então, carrega sequelas em uma das pernas. Com 73 anos, foi para uma cadeira de rodas. Tem oito netos e nove bisnetos. Nasceu em Belo Horizonte, Minas Gerais, em 1924. Hoje, mora sozinha num apartamento em Copacabana que diz muito sobre ela. Num canto da sala há um piano, em outro, uma mesa repleta de santos, terços, medalhas, santinhos de papel, orações... que ela chama de "brechó do amor"; em sua cozinha há plantas, muitas plantas, nas paredes, muitos quadros e, por todos os cômodos da casa, fotos, lembranças de tempos felizes. Fotos que contam uma história, retratam uma vida. Tem foto de quando era criança em Belo Horizonte, de seu casamento com Paulo, do batizado dos filhos, de seus pais, de seus netos, da casa dos avós, que foi invadida na Revolução de 30 pelos "homens de Getúlio", da piscina do Minas Tênis e de grupos repletos de jovens vendo-a falar em algumas de suas palestras. Virgínia até hoje trabalha. Percorre o Brasil dando palestras nas quais conta sua história. Ajuda a recuperar pessoas com almas adoecidas, aquebrantadas, a partir do seu exemplo de vida, mas também de seu olhar fresco, sempre renovado, embebido de espiritualidade e graça divina. Logo de cara, depois de nos receber em sua cadeira de rodas com um sorriso doce, aparência frágil e abraço firme, ela deixa suas palavras ganharem voz e ocuparem espaço; espaço amplo, no mundo e em cada um que pode parar um pouquinho para escutá-la.

A fé entrou na minha vida em 1926, quando eu tinha 2 anos e ainda estava paralítica – porque tive pólio com 10 meses de idade. Minha mãe recebeu da França uma novena para Santa Therezinha, que ia ser beatificada. No nono dia da novena, comecei a ter novamente movimentos, foi um sinal. Depois, minha mãe me colocava de mãos postas para rezar: "Papai do Céu, cura minha perninha, toma conta de mim." Mas eu não achava isso certo. Porque, se Papai do Céu me deu essa perninha, mamãe não tinha o direito de pedir para ele tirar essa perninha. Era minha aceitação. Eu perguntava para minha mãe onde morava o Papai do Céu e ela dizia que era no meu coração. Quando fui fazer a primeira comunhão, já sabia ler e descobri que meu Papai do Céu tinha um nome: era Deus. Aí, quando vi a palavra Deus, vi uma coisa imensa: dentro da palavra Deus estava eu. Você tira o S e o D e fica EU. Então minha mãe tem razão. Mais tarde, descobri que, se olhasse em separado para o D e o S, poderia visualizar e escutar Ele falando para mim: "Dentro de si moro Eu." Então, comecei a acreditar nesse Deus em mim e vi que a perninha não tinha que melhorar, tinha que ser assim porque Ele quis assim, e eu tinha que me fortificar na vontade Dele, ser eu do jeito que

Ele queria que eu fosse. Eu não queria ir contra a vontade de Deus. Aceitar Deus e Sua vontade era me aceitar.

Quando eu tinha 5 anos, meus pais se mudaram para São Paulo com os filhos, porque eu ia fazer cinco cirurgias para tentar recuperar a minha perna. Caminhar eu caminhava, mancando, caindo, e eu precisava melhorar isso! Quando cheguei lá no hospital para ser internada, minha mãe me disse: "Não chore porque se você chorar vai me envergonhar!" Obedeci. Eu ficava no hospital sozinha num quarto, porque minha mãe tinha que cuidar dos outros quatros filhos também sozinha e, por isso, não podia ficar junto de mim. Não chorei, não tive medo do quarto, fui para a cirurgia sozinha na cadeira de rodas, sem chorar. Sinto até hoje o cheiro dos curativos, a nossa memória é atemporal, ficou o cheiro. Fiquei hospitalizada do fim de 1929 a meados de 1930. Um dia, já quase no final, chorei e a enfermeira chegou assustada perguntando o que tinha acontecido. "Eu estou cansada", respondi. Aí ela me pegou, me pôs numa cadeira de rodas que era de madeira, de palhinha e bem alta, me senti tão pequena ali. Ela colocou os travesseiros e me aproximou da janela para ver a paisagem. Nessa hora, pensei: "Papai do Céu, já estou cansada, me tira daqui." E dormi. Nunca tinha dormido assim de repente. Passado um tempo, acordo, olho para o céu e vejo uma coisa flutuando silenciosa. A enfermeira entra de volta no quarto e fala: "Olha o zepelim." Mas para mim não era um zepelim. Para mim era uma resposta de

Deus. Sabe o que aconteceu? Aconteceu a Revolução de 30, meu avô era chefe no governo do Washington Luís e apoiava a candidatura do Júlio Prestes. Getúlio ganhou e, então, mandou prender todo mundo ligado ao outro lado, invadiu a casa dos meus avós em Belo Horizonte, invadiu a do Rio, e eles foram exilados. Meu pai saiu correndo para o Rio, e ficou determinado que minha mãe iria para o Rio sem dizer de que família era, para ficarmos escondidos na fábrica de tecidos do meu avô, porque lá tinha posto de saúde, igreja, escola, bar, sede, armazém... tudo. Por conta disso, tive que sair do hospital antes do tempo. Na minha saída brusca, eu fui com o gesso e tudo. Aí, minha mãe ficou com receio de ir até Belo Horizonte para tirar, então viemos direto para o Rio, e só depois de um tempo, é que ela conseguiu tirá-lo. E, quando tirou o gesso, minha perna estava atrofiada; as cirurgias, nenhuma delas, tinham dado resultados. Foram enxertar o nervo bom no ruim e estragou o bom. Minha mãe chorou, desesperada, papai não estava lá e eu falei para ela: "Não falei que Papai do Céu queria eu com a perninha?" E foi assim que senti que a Revolução não tinha sentido nenhum, vovô e vovó no exílio era como se tivessem ido viajar... Eu era criança. Para mim, o forte de toda essa história foi que Deus fez aquilo tudo acontecer para me atender e me tirar do hospital.

Para mim, o forte era a capacidade que Virgínia tinha de atribuir significados aos fatos mais corriqueiros da vida, a partir da sua relação de pertencimento e continuidade com Deus. Esse tecer de significados tão próprio a ajudou muito na aceitação plena e digna de sua condição física, do seu portar no mundo daqui, no mundo das humanidades, sua perna deficiente por conta da poliomielite. O mundo de Virgínia é, em todo o seu devir, um mundo absolutamente criado por Deus.

A única aleijada que existia entre meus amigos, na minha família, na minha escola, era eu. Eu sentia que, se Deus me fez diferente de todo mundo, é porque ele tinha confiado algo a mim. Ele não ia me destruir, era meu Papai do Céu *(fala isso batendo com a mão espalmada no peito)*. Ele me confiou alguma coisa e me fez desconfiar das três frases que mais escutei e escuto até hoje: "Você não pode", "Se você não fosse assim...", "Quando você melhorar...". O "não" e o choro são coisas que eu desconheço. Fiquei sozinha aos 5 anos durante meses num quarto de hospital, imagina se vou ter medo de morar sozinha hoje?

Eu não moro sozinha e não sei se teria a coragem de Virgínia... Essa coragem me inspira e me faz seguir adiante na minha vida, neste instante. Agora, estou sozinha e sem medo. Estou no silêncio da noite. Está escuro, quieto. Escuto ao longe um cachorro que uiva como um lobo, o barulho delicado do correr da água de um rio que corta o terreno do lugar onde moro, o passar espaçado dos carros que sobem e descem a rua. Já é madrugada. Só tenho conseguido escrever na quietude da noite. Só nessa hora consigo buscar sem receios minhas lembranças. Só nessa hora consigo reviver aquele momento passado, para, então, recontá-lo aqui para você, sem que ele perca seu encanto por já ter passado, ou por ser do passado. Adoro essa mágica do ato de lembrar, quando ele nos leva a reviver o sentir e o gosto bom do já vivido, mesmo que por ínfimos espaços do tempo. É mais do que um voltar no tempo, é um retomar do tempo. Pela lembrança, por um breve instante, eu retomo um tempo vivido e (re)vivo esse tempo bom, com toda alegria, gostos, cheiros e sentidos que fazem parte dele e que vêm junto com ele. Virgínia parecia fazer isso o tempo todo enquanto contava sua história a Cissa. Dava para perceber claramente no brilho do seu olhar, na cadência de sua voz e nos movimentos vivos de suas mãos. Ela retomava seus mais diferentes tempos de vida com uma alegria naquele momento do presente, do presente-passado, que dava gosto!

Para mim, o tanto que gosto dessa mágica do lembrar é o tanto que tenho medo dela. Tenho uma relação meio esquisita com o tempo... Sim, eu respeito o tempo. Eu entendo que cada tempo é um, que existem múltiplas ordens de tempo, que o tempo acaba, passa... que, em seguida, vem outro tempo... que tem tempo novo... que tem tempo ruim... E que todo tempo tem fim. Mas, no fundo, aqui bem dentro e bem fundo mesmo, eu entendo, mas não aceito que o tempo seja tão vivo assim. E vivo com medo do tempo. Pois me assusto com a transitoriedade dele e fico triste a cada vez que um tempo de que gosto acaba. E, a cada vez que ele acaba, luto para mandar embora essa tristeza, que insiste em chegar. O exercício do lembrar para mim traz consigo a dificuldade que tenho de aceitar que todo tempo é só mais um tempo que um dia chegará ao fim. Mas ali, diante da Cissa e da Virgínia, no meio daquela sala de estar tão cheia de lembranças e vivências de um tempo que já passou, ao ouvir Virgínia falar que não aceitar o tempo com sua finitude e transitoriedade não é só lutar contra ele, mas também é abrir mão de toda liberdade que vem junto com ele, me dou conta de que estou sendo de uma tolice, mas de uma tolice... Toda liberdade vem com um tempo e, assim como vem, se não cuidarmos ela vai, ela se perde, ela se aprisiona nesse tempo e deixa de ser liberdade. Virgínia nunca se perdeu no tempo. Nunca se perdeu no tempo vivido. Nunca se perdeu no tempo (re)vivido. Virgínia nunca se perdeu, sobretudo, no tempo que faz sentido para ela como naquele de quando ainda bem jovem conheceu Paulo, numa praça de Belo Horizonte.

Lá em BH a gente namorava na praça da Liberdade. Os que tinham namorado ficavam do lado direito da praça, os que estavam procurando namorado ficavam do outro. Os homens ficavam em volta, as meninas andando no meio. Eu estava lá. O Paulo estava parado e não sei se caiu um cisco no olho dele e ele piscou para mim... ou se ele piscou mesmo para mim. Só sei que ele piscou. E piscar era compromisso. Eu não sabia o nome dele, e, um tempo antes, minha mãe tinha me levado num padre milagroso que morava em um convento e que ela queria que curasse a minha perna. Esse padre disse uma coisa que eu não podia esquecer. Disse que eu ia encontrar o Paulo. Falou que eu ia encontrar o Paulo, porque eu sou Virgínia. Isso por causa do romance *Paulo e Virgínia*, você conhece?

Eu conhecia, sim. Meu pai já havia lido trechos desse romance para mim quando eu era bem mocinha. A Tissa não conhecia e, na hora, ficou com um olhar bastante intrigado. Mais tarde, fui a um sebo procurar o livro *Paulo e Virgínia*, escrito por Bernardin de Saint-Pierre, e encontrei. Nem eu acreditava que tinha encontrado um exemplar de 1965 assim tão fácil. Antes de enviá-lo de presente para Virgínia, li um trecho dele para Tissa: "Paulo e Virgínia não possuíam relógios, calendários, livros de cronologia, de história ou de filosofia. Os períodos da sua vida regulavam-se pelos períodos da natureza. Conheciam as horas pelas sombras das árvores, as estações pelo tempo em que rebentavam as flores ou os frutos e os anos, pelo número das colheitas. Essas meigas imagens enchiam de encantos as suas conversas."

O amor de Virgínia e Paulo, pelo que pude escutar da história, parecia ser tão belo quanto o descrito no romance. Quando se referia a ele nas histórias que me contava, dizia: "O meu Paulo." Para Virgínia, Paulo havia sido mais que um amor de adolescência, um marido correto ou um companheiro presente; para ela, Paulo havia sido o amor da vida, e assim continua e continuará a ser sempre. Para Virgínia, seu encontro com Paulo não foi só o encontro entre um Paulo e uma Virgínia, um moço e uma moça, um homem e uma mulher; para ela, seu encontro com Paulo foi um encontro de almas. Essa certeza era trazida à tona por uma sensibilidade apurada e presente todo o tempo em seu olhar, e era ela quem fazia com que Virgínia não se sentisse nem um pouco insegura por ser do jeito que Deus quisera que ela fosse – com uma perna grossa e outra fina – diante daquele homem mais velho e tão lindo aos seus olhos.

Lindo! Ele era lindo! E, vou te dizer, era o oposto da minha mãe. Para ele, tudo eu podia. Ele nunca me fez sentir deficiente física, não tinha vergonha. Eu ia para a piscina com ele, com uma perna grossa e a outra fina. E eu não tinha ciúmes dele, tínhamos uma amiga que era ciumenta e falava que eu era louca de deixar ele viajar para a praia sozinho com os amigos, já que eu não podia viajar... Eu dizia que ele ia se quisesse. E também que ele só ia ficar comigo se gostasse de mim. Se tivesse que me deixar, mesmo com duas pernas grossas ou duas finas, ele me deixaria. Nunca tive medo de Paulo me deixar pelo fato de eu ser aleijada.

O mais incrível era que ela falava tudo isso olhando no fundo dos meus olhos, e a verdade que esse olhar transmitia era tanta, mas tanta... Eu também, olhando no fundo de seus olhos, pensava: "Que maravilha a gente conhecer nosso amor, que maravilha saber que o amor chega apesar de todas as dificuldades que possamos ter!" Será que Virgínia, no momento em que encontrou Paulo, estava mais apegada a sua fé? Ela me respondeu, com toda sua firmeza e sensibilidade:

Essa fé era muito natural em mim, não precisava puxar, já existia.

Minha mãe me preparou para o mundo dizendo que eu não podia fazer nada, e eu podia fazer tudo. Andava a cavalo, subia nas coisas; ela dizia que eu não ia casar, que eu nunca ia arrumar um namorado. Eu escutava isso e tinha pena dela. Ela dizia que eu tinha que ir para um convento. Convento? Romântica como sou. Eu namorei muito. Sabe quem foi meu grupinho? Ivo Pitanguy, Hélio Pellegrino,

Fernando Sabino, Otto Lara Resende. Era um tal de Minas Tênis pra cá, praça da Liberdade pra lá. E minha mãe não acreditava que eu poderia fazer nada, vê se pode?!

Realmente, alguém acreditar que o defeito físico pudesse ter causado qualquer dano à alma e impedido Virgínia de ser livre e quem quisesse ser não tinha o menor cabimento! Ainda mais esse alguém sendo sua própria mãe. Nem o olhar culpado, castrador e com excesso de zelo da mãe foi capaz de fazê-la desistir dos seus sonhos. Quando Paulo, já casado com ela, foi transferido pelo trabalho de Belo Horizonte para Volta Redonda, no estado do Rio, Virgínia não titubeou em ir com ele, mesmo contra a vontade de sua família. Para ela, fazia mais sentido ir junto do marido para um mundo desconhecido e mais livre, do que ficar em seu mundo conhecido, mas muitas vezes aprisionador. Buscar a liberdade sempre foi uma marca fundamental de quem era Virgínia. Foi em Volta Redonda que ela ficou grávida de seu primeiro filho e onde passou pela sua primeira perda: a morte de seu pai. Pode parecer estranho, mas o nascimento foi mais duro do que a morte.

Foram trinta horas de trabalho de parto e não morri. Foi um sufoco e aguentei firme, mas, quando terminou tudo, os médicos chegaram perto do Paulo e disseram que não morri por um milagre. Aí eles falaram para não tentarmos, em hipótese alguma, ter outros filhos. Diziam: "Outro milagre não vai acontecer, ela vai morrer." Mas aquela fala não me atingiu, era só mais uma. E falei para Paulo: "Deus não fez um milagre? Vai fazer outros." E seis milagres aconteceram, seis filhos. Eu tinha Paulo, em quem acreditava. Eu tinha Deus. Tinha tanta atenção de Paulo, tanto carinho, tanto amor...

Nós estamos falando de fé e eu gostaria de falar de outra coisa. Tive o primeiro filho, Paulo Elísio, num parto que foi uma tourada, mas não morri. Quando tive o segundo filho foi diferente; meu pai, com 45 anos, estava mal. Recebi o telefonema da minha tia para que eu fosse para Belo Horizonte porque ele estava nas últimas. Nessa altura, eu estava grávida outra vez e ia ter o filho em Volta Redonda, mas fui até lá. Meu filho nasceu um mês depois que meu pai morreu. O segundo parto foi mais tranquilo, Deus tinha levado meu pai... Meu pai fez muita falta. O mais emocionante é que ele se despediu de todo mundo, dos empregados, dos parentes, dos filhos e, quando chegou a minha vez, falou: "Você é a única que não me preocupa." Ele me conhecia.

O pai conhecia a essência da filha; conhecia seu amor pela vida, sua força de vontade, mas, mais do que isso, conhecia e reconhecia sua capacidade de ser plenamente quem era. Virgínia é Virgínia em sua plenitude e em todos os momentos, seja naqueles que já passaram, seja naqueles de agora, seja naqueles que ainda estão por vir. Virgínia foi, é e continuará a ser totalmente Virgínia. A moça de aparência frágil, mas cheia de vida, a jovem destemida e romântica, a mãe presente e zelosa, a mulher enamorada e ativa, a senhora encantadora e surpreendente, todas essas, em todos os tempos, são ela.

A primeira vez que vi Virgínia foi num vídeo no celular da Tissa feito por uma de nossas pesquisadoras ("buscadoras" de histórias). Era fim de tarde, fazia muito calor e estávamos num restaurante com bastante gente falando a nossa volta, mas o pouco que consegui escutar e ver dela naquele momento já foi o suficiente para detonar dentro de mim uma vontade intensa de conhecer aquela mulher e de escutar sua história. Ali mesmo, naquele cair do dia, Virgínia começou a existir para mim; e quando, poucos meses depois, cheguei a sua casa para encontrá-la e registrar esse encontro para o programa, aquela existência se transformou em uma das presenças mais ricas desse meu novo caminhar e viver com fé.

Foi por meio de Virgínia que um novo significado a minha maior dor se fez possível, foi como se ela tivesse lançado uma luz nova, com mais possibilidades de sentidos e poesia para uma realidade dura e intransponível, e já por mim bastante matizada por outras luzes, por outros olhares, por outros dizeres... Depois de me contar sobre sua infância, seus pais, seu romance, suas primeiras ousadias e seus dois primeiros partos, Virgínia começa a falar de sua primeira maior perda: a perda de sua terceira filha, Virgínia Helena, com apenas um ano de vida.

Quando fiz 21 anos, já tinha três filhos, o grupo de Volta Redonda já estava se formando, era pouca gente, mas éramos bem próximos e festeiros. Aí fizemos um bolo de 21 andares. Estava feliz da vida, pois não tinha tido antes disso muitas comemorações de aniversário, porque nasci no mesmo dia que minha mãe... Era ela quem sempre comemorava o aniversário, e não eu. Aquele aniversário, com aquele bolo, junto do meu grupo de amigos, do meu marido e dos meus filhos, era uma grande alegria. Mas a lembrança daquele dia feliz não durou muito... Dez dias depois que completei e comemorei meus 21 anos, morre a Virgínia Helena, minha terceira filha. Eu tive uma decepção... uma decepção... Nunca mais comemorei meu aniversário. Vou confessar uma coisa: nesse momento, eu não aceitei. Tive uma revolta, achei que, se estava tendo filhos em confiança a Ele (Deus), Ele tinha que deixar esses filhos comigo, não podia ter levado um filho meu. Mas levou Virgínia Helena ainda muito pequenininha, ainda no berço... Vim enterrá-la no Rio. Quando enterramos um filho, ficamos com ele lá. Voltei para casa, passou um tempo e eu fiquei grávida novamente. À medida que aquele bebê ia crescendo em meu ventre, indaguei: "Outro filho virá e aquela?" Foi aí, Cissa, que me deu uma luz, um *insight* que me fez ver que eu não tinha filha no cemitério, que, se Deus levou uma parte das nossas vidas para junto Dele, não foi para nos punir, não foi porque Ele foi injusto conosco. A partir desse momento, a conotação da morte se modificou para mim. Não vou ao cemitério e tantos que amei já se foram... Por quê? Porque eles não estão no cemitério, estão com Deus. Estão na eternidade velando por nós, esperando por nós.

Depois da Virgínia Helena, nasceu o Luiz Alberto, nasceu a Virgínia Tereza, que me deu problemas... Depois do nascimento, fiquei com dores no corpo e não podia me movimentar. Consultamos quatro médicos renomados que falaram que eu ia para a cadeira de rodas o resto da vida, e jamais poderia ter outro filho. Mas aqui dentro Deus me dizia diferente: "Vai em frente que vai dar tudo certo." E, apesar de os médicos dizerem novamente que eu não poderia ter mais nenhum filho, dez anos depois eu tive um temporão. E só estou nessa cadeira de rodas há 15 anos.

Mais tarde, tive a perda de mais dois filhos. Primeiro, foi Paulo Elisío, meu filho mais velho, que tinha 60 anos e morreu de enfarte agudo de uma hora para outra; depois, foi a Virgínia Tereza com 55 anos, que morreu de um câncer. Depois dessas três maiores perdas do mundo, eu compreendi duas coisas de Deus. Deus não nos deu nada.

Nada é nosso, nem a vida. Estamos aqui para usufruir, Ele nos confiou tudo. Confiou-nos a vida, os filhos, mas não nos deu. Então, Ele (Deus) tem o direito de tirar. Se você disser que não está vendo a preciosidade desse ato de Deus de nos confiar os filhos, que na essência são dele, é porque você está cega. É como se Ele dissesse para cada uma de nós, mães: "Eu quero lhe confiar, mas não estou lhe dando, quero lhe confiar para cuidar com muito amor, muito carinho, porque é importantíssimo para mim, porque eu amo demais." Passa um tempo, Ele volta para buscar o que nos confiou; ao fazer isso Ele está sendo injusto com você? Ele não lhe deu, apenas lhe confiou. A nossa primeira reação é pensar: "Eu cuidei com tanto carinho, faz parte da minha vida. Eu não sei se vou conseguir viver sem isso, não leve, não seja injusto. Quanta ingratidão." Mas esse pensamento está errado. Nós viemos de Deus, nós vamos voltar a Ele. E voltaremos não no nosso tempo e sim, no tempo Dele.

Foi muito emocionante não só escutar Virgínia compartilhar conosco essa sua generosa percepção da relação entre nós, Deus, a vida e a morte, como também ver e sentir a emoção da Cissa durante todo o tempo de escuta. De repente, ultrapassando qualquer vestígio de dor que pudesse ter sentido, Cissa faz a pergunta mais pertinente possível depois de tudo o que Virgínia tinha acabado de nos falar: "Você sentiu isso na hora mesmo de cada uma dessas três mortes, dessas três perdas, ou isso foi com o tempo?"

Virgínia responde. E mais uma vez nos cativa com sua sensibilidade e lucidez.

A perda de um filho é um choque. Sempre será. As perdas são um choque, mas a de um filho é o maior choque de todas as perdas. Essa forma de pensar que estou contando não tira a dor da perda, mas tira a revolta. Tira a revolta que todo mundo tem. Senti essa revolta perto do berço da Virgínia Helena. Tive o sentimento de que Deus tinha me abandonado, tinha sido injusto. Porém, quando você entende o amor de Deus em toda sua imensidão, e também entende que Ele criou a morte não para sofrimento, mas como uma coisa natural da vida, você pode encontrar o sentido da aceitação e acolher aquela dor sem revolta. Nascer, morrer, é o ciclo da vida. Faz parte da natureza da vida. Enterrar um filho não é normal, mas é uma coisa natural da vida. Só enterramos um filho quando é da vontade de Deus, e se é Sua vontade, é natural da vida. Difícil, mas simples assim. Deus tem o tempo Dele, e o nosso tempo é diferente do Dele.

Escutar tudo aquilo era mais um sinal de que eu não estava ali por acaso, de que aquele programa não tinha chegado para mim por acaso, de que a Virgínia não tinha cruzado meu caminho por acaso... Tudo fazia parte de algo muito maior. E nesse maior nada parecia sem sentido.

Já eu me lembrei imediatamente do misto de dor e desespero que senti no momento exato em que me dei conta de que meu pai, depois de uma enorme cirurgia, nove meses de quimioterapia e mais de quarenta dias de hospital, iria morrer. Lembrei-me do exato momento em que fui tomada pela certeza de que mais um tempo bom havia chegado ao fim. Mas ali, naquele novo momento, diante da Cissa e da Virgínia, essa lembrança veio com outro tom, teve outro gosto; naquele momento, eu percebi que Deus também tinha levado meu pai para junto dele. Essa percepção me fez sentir, subitamente, a presença de meu pai em mim e, assim como a Cissa, tive a percepção de que nada ali era por acaso.

Atrás dos ombros de Virgínia, encolhida entre a câmera, o fotógrafo e o monitor vejo a Tissa, com seus castanhos olhos puxados, ao mesmo tempo lacrimejantes e sorridentes. Essa imagem me colocou de novo no mundo e, com ela, pude vislumbrar que eu também tinha uma missão ali. Uma missão de vida. Uma missão comprometida com a alegria e com a continuidade da alegria na vida. Essa missão eu também podia compartilhar com Virgínia.

Antes de terminarmos a gravação, Virgínia fez questão de contar que, ainda hoje, dava quase cem palestras por ano. Seus olhos reluziam de tanto brilho ao nos revelar isso, e eu imediatamente perguntei o que ela queria passar para as pessoas nessas palestras. A resposta foi preciosa: disse que era sua filosofia de vida, que é ser feliz em quaisquer circunstâncias, porque não são os fatos que nos atingem, é a nossa forma de enfrentar os fatos.

E, ainda para terminar, ela pede para fazer uma oração de agradecimento:

> Obrigada, Senhor, por me fazer vencer não só as barreiras físicas, as crises financeiras, as crises espirituais; mas também essa grande dor que foi a partida de Paulo, meu marido, do meu filho, Paulo Elísio, e das minhas filhas, Virgínia Helena e Virgínia Tereza. E, com isso, estar dando o meu testemunho com a mesma fé, com a mesma garra e a mesma alegria.

Obrigada Virgínia, por ter nos proporcionado chegar tão perto de uma história tão linda, por ter nos contagiado com tanta graça e alegria, e por ter nos mostrado que a liberdade de crer pode fortalecer, e muito, a liberdade de ser.

A Tissa grita "corta", as câmeras param, eu me levanto, olho nos olhos de toda minha equipe e digo: "Quero ver agora quem vai ter coragem de reclamar que acordou muito cedo, que tem conta para pagar, que tem que emagrecer ou que tá cansado da vida?!" Em silêncio, todos me respondem cada um a sua maneira, com os olhos. E juntos nos despedimos de Virgínia com a certeza comum de que aquela tarde tinha sido especial para todos. Juntos, seguimos adiante um pouco mais felizes e livres para sermos, por e com Deus, quem realmente éramos e gostaríamos de continuar a ser.

FÉ NO ENCONTRO: DA LIBERDADE À SÃO FRANCISCO DE ASSIS

Ciro Barcelos

Luiz Augusto

Não desgosto da angústia. Sou uma pessoa angustiada. Umas vezes mais. Outras, menos. Minhas angústias nunca me impediram de ter paz; ao contrário, minhas angústias muitas vezes me moveram em direção à paz. Desde muito moça, me lembro de ter essa percepção viva da angústia, e sempre achei que a angústia podia mover. Isso, é claro, quando não é desmedida e encontra espaço aqui dentro para circular, deixar respirar e então criar o incômodo, criar a vontade de transformação. Nem sempre cuidei como devia do meu ser angustiado, mas sempre tive consciência dele. Com 21 anos, procurei e encontrei o lugar certo para cuidar disso. Desde então, foram idas e vindas para esse lugar do cuidar, aliado a uma forte intuição de que ser angustiada era algo essencial do meu jeito de ser e estar no mundo. Graças a essa sensibilidade para com minhas angústias, no único momento da minha vida em que percebi que esse ser angustiado estava grande demais e desmedido, tive a fé e a lucidez de procurar o caminho de volta para aquele lugar do cuidado. Pouco tempo depois que retomei o cuidar do meu ser angustiado, foi que as angústias voltaram a sua dinâmica sadia e o reconhecer de uma nova angústia me moveu na direção do *Viver com fé*. Essa angústia é uma verdade minha e não da Cissa. Vejo a Cissa como alguém que está sempre em movimento na vida, que está sempre querendo ser melhor, estar melhor, buscando liberdade. Mas não a vejo com a angústia que porto, com a angústia que me move. Outras coisas movem a Cissa, mas não a angústia.

Engraçado a Tissa começar falando de angústia... Eu realmente não sou uma pessoa angustiada, mas entendo totalmente quando ela fala que a angústia move, e agora, ao ler isso, me dou conta de que as duas histórias que vamos começar a contar aqui são de duas pessoas bastante diferentes, mas que também foram movidas a buscar novos caminhos por algo que podemos chamar de angústia. Angustiados por seus desejos e escolhas, Ciro e Luiz Augusto se movimentaram na vida e no mundo, em busca de novos encontros e verdades.

Ciro fugiu da casa dos pais com um pouco mais de 20 anos, atrás do desejo de ser bailarino e ator, duas escolhas que desagradavam muito a família. Luiz Augusto, com 18 para 19 anos, ganhou do pai uma viagem de mochila pela Europa, para longe de casa tentar clarear seus pensamentos e apaziguar suas dúvidas em relação a uma escolha que tinha feito poucos meses antes. Também para não desagradar o pai, desistiu de seguir a carreira de músico e ingressou na faculdade de medicina. Dois moços desassossegados que se permitiram, com liberdade, sonhar, escolher e duvidar, mesmo que por um breve espaço de tempo.

Eu conhecia o Ciro havia muito tempo porque éramos da mesma turma de amigos nos anos 1970, época em que ele era um dos dançarinos do grupo Dzi Croquetes. O grupo de dança era comandado por um bailarino americano chamado Lenny Dale, que fazia arte com estilo próprio, muito livre e provocador. Os espetáculos do Dzi Croquetes eram nada convencionais, e quem os assistia percebia claramente que estava diante de um grupo de moços livres e transgressores. Assim, eles fizeram muito sucesso e foram um marco no cenário artístico da época. Contudo, olhando o Ciro, jamais poderia imaginar que aquele rapaz tão transgressor no palco era uma pessoa que andava pela vida em busca de um maior desenvolvimento espiritual. Sabia de suas andanças pelas religiões afro-brasileiras, pela Índia e pelos caminhos de São Francisco, mas não sabia direito o porquê disso, pois me parecia paradoxal. No entanto, a verdade era que Ciro desde muito jovem teve vontade de cuidar de seu espírito, e com 29 anos, quando perdeu o irmão apenas um ano mais velho num acidente de helicóptero, esse cuidado se fez mais do que necessário, se fez vital. Nesse momento compreendeu que só conseguiria dar conta da imensa dor que o assolava se encontrasse o caminho para seu desenvolvimento espiritual. Foi a partir daí que Ciro saiu pelo mundo atrás de seu sonho profissional e de um lugar para ficar mais perto de sua fé. Sempre muito inquieto, livre e transgressor tanto na dança quanto na vida, experimentou múltiplas vivências religiosas, passou por diferentes crenças, viveu em diferentes lugares, participou de vários ritos e se filiou a mais de uma religião. Nascido em Porto Alegre, no seio de uma família católica, seu primeiro vislumbre fora do catolicismo havia sido com a umbanda, quando, já no Rio, começou a frequentar um terreiro. Lá ele encontrou uma abertura que não encontrava na Igreja Católica. Descobriu a conexão entre o seu espírito e a natureza exterior, e assim se sentiu livre para experimentar mais e mais.

Da umbanda eu parti para o candomblé porque muito cedo conheci um grande babalorixá, professor Agenor Miranda, um senhorzinho lindo, um filósofo incrível que já faleceu, mas que se tornou um segundo pai não só carnal, como espiritual em minha vida. Com ele aprendi muita coisa. É interessante porque Pai Agenor, aliás, se tornou meu instrutor espiritual, porém como era um homem muito inteligente, aberto e culto, ele sempre acatou e se relacionou muito bem com todas as minhas outras experiências. Ele dizia: "Você é cabeça de oratório, bate cabeça para todo mundo." Mas era genial porque lembro que levava isso tudo para ele. Tive minha fase Hare Krishna, fui iniciado e recebi até um nome indiano que queria dizer: o pequeno servo de Krishna. Nessa experiência com o Hare Krishna eu fui muito fundo e tive um grande avanço espiritual. Fui pra Índia e vivi lá por um tempo. Minha filha Hadarani foi gerada lá, uma história muito forte. Minha primeira experiência de vida monástica foi lá, porque fui iniciado e vivi como monge mesmo, do tipo que é casado, tem família, mora em casa, mas acessa sempre o templo e tem as mesmas práticas. Lá, eu e a Aline, com quem era casado na época, moramos em um templo. Essa experiência monástica com a Índia foi muito decisiva na minha vida. No sentido de que "deu um estalo" e me questionei: "O que quero realmente com essa busca através das religiões? É unicamente a prática social externa? Aonde quero chegar?" E eu entendi que esse lugar a que queria chegar era o que estava dentro. Era um acesso interior, esse núcleo, esse local onde você se entende como parte integrante desse todo e começa a entender esse Deus. Quem é esse Deus? Lá na igreja a gente entende como uma pessoa e, ali no candomblé, a gente entende como a natureza.

Quando falei a Tissa para encontrarmos com Ciro era justamente por ele portar essa religiosidade tão múltipla e sincrética. Ele tinha mergulhado de cabeça em diferentes religiões e construído sua verdade de fé por conta disso. O que sempre me intrigou. E ele também tinha ficado em cartaz durante muitos anos com um espetáculo sobre a vida de São Francisco de Assis. Tinha um caminho que parecia relacionar arte e espiritualidade, ao qual eu queria chegar mais perto e conhecer melhor.

Eu não conhecia o Ciro como a Cissa, sabia que ele era um dos treze homens que dançavam vestidos de mulher e que criavam espetáculos performáticos, bem sexualizados – todos de muito sucesso. Já tinha visto algumas gravações de seus espetáculos, mas não havia percebido tão claramente quanto a Cissa como podia ser paradoxal aquele homem dançarino do Dzi Croquetes ter sido batizado e crismado no catolicismo, ser iniciado na umbanda, raspado e "catuado" no candomblé, vivido entre monges Hare Krishna na Índia e, posteriormente, entre monges franciscanos em Assis, na Itália, durante seis meses. Contar a história de Ciro no programa valia, sobretudo, por essas experiências. E entre elas, uma me interessava em particular: o tempo em que viveu como aspirante a monge entre franciscanos. Havia tempos que eu andava flertando com a história de São Francisco de Assis e com seus pensamentos sobre vida e morte.

Estava em outra *vibe*, curtindo a Itália, fazendo uma experiência de trabalho lá como coreógrafo. Tentava até dar um tempo nessa minha busca religiosa. Mas aí, um dia vi um franciscano passar na rua e fiquei muito impressionado. Ele estava descalço, com aqueles trajes, tinha um cabelo de São Francisco, uma barba... Lindo. Um ser iluminado. Quando ele passou, me chamou a atenção e fui atrás dele. Tem um lugar na espiritualidade, nessa iluminação do sujeito, que, quando ele o atinge, todos ficam iguais, parecidos. O indiano, o filho de santo do candomblé, o franciscano... Fui atrás dele, puxei sua roupa e perguntei quem era. Ele se apresentou, disse que era franciscano. Conclusão: no outro dia peguei um trem e fui a Assis, que fica a duas horas de Roma. Fui com dinheiro suficiente para passar um dia, com a roupa do corpo e mais nada. Comprei a passagem de ida para de manhã bem cedo, e a de volta para o último trem. Quando estava chegando a Assis, via aquela cidadezinha na montanha, tudo tão tocante... Num instante, senti a mesma emoção que tive na Índia, uma coisa muito forte. Cada vez que me aproximava mais do lugar, me emocionava. Passei o dia conhecendo a cidade. Caminhando por lá, entrei num mosteiro e conheci logo uma clarissa. No final do dia, já descendo até a estação para retornar a Roma, fui visitar a basílica onde está a cripta com o corpo de São Francisco. Já estava quase fechando. Quando desci para a cripta, comecei a sentir minhas pernas cambalearem. Uma emoção, uma coisa...

Eu senti a força chegar e as pernas... Era uma atmosfera espiritual fortíssima onde estava o corpo dele. Quando me vi diante dele, comecei a chorar, a chorar profundamente. Aí eu perdi a força das pernas e fui ao chão. Caí de joelhos, tive um mal-estar e desmaiei. Ao voltar à consciência, estava sendo atendido por dois freis franciscanos, a basílica já estava fechando, praticamente não havia mais ninguém. Eles estavam ali com uma água me acudindo, conversamos um pouco. Conversa vai, conversa vem, perdi o trem. Eles me convidaram para pernoitar no convento. Esse local em que estava, e no qual ficava também o convento, era onde Francisco viveu, morreu, cuidou dos leprosos... Uma energia incrível.

Nós fomos para a cozinha tomar uma sopa com os freis. Comecei a conversar em especial com um deles, o frei Giuseppe, grande amigo até hoje. Ele havia sido bailarino, um dos primeiros do teatro Scala de Milão, e largou tudo, no auge do sucesso, para se tornar franciscano. Nós sentamos ali e ficamos até as quatro da manhã conversando, trocando histórias. Ele me disse: "Ciro, fica aqui um pouco, fica uma semana, você desmaiou, vamos vasculhar um pouco isso." Eu dormi e no dia seguinte acordei certo disso. Liguei para Roma e avisei que não ia voltar porque tinha assuntos importantes da minha vida para resolver. Essa coisa espiritual é tão mais forte do que eu, que não hesito em largar tudo, já larguei tudo. Já liguei para os meus parentes da Índia e avisei que podiam vender e se desfazer de tudo porque eu não ia voltar. Em Assis aconteceu a mesma coisa. Acabei ficando seis meses nesse monastério, na basílica, e depois aceitei fazer um pré-posto, treinamento para avaliar a vocação. E esse treinamento foi uma coisa decisiva na minha vida. Depois dos dois primeiros meses, fui a um convento para um exercício de vida fraterna. Eles me mandaram para o alto das colinas, 1.700 metros de altura, para um monastério de pedra incrível, onde só vivem cinco monges por período e com voto de silêncio. Fiquei ali dois meses sem falar uma palavra, descalço, vivendo dentro da caverna onde Francisco subia para jejuar... Era incrível, mas também muito duro. Voltei magérrimo porque os jejuns duravam dez dias. Eu era avaliado e ia seguindo. Foi algo maravilhoso, uma grande experiência e, ao final desses seis meses, meu mentor espiritual disse: "E aí Ciro? Volte para o Brasil agora, volte para sua vida, resolva a situação com sua filha, quem sabe você espera ela completar a maioridade? Aqui as portas estarão sempre abertas pra você." Naquela época a Hadarani, minha filha, estava com uns 13 anos, e eu já havia me separado da Aline. Fui vocacionado a monge contemplativo. Eu me identifiquei muito com esse estado de viver sozinho, no silêncio... Foram momentos de felicidade que tenho em mim até hoje e dos quais me emociona falar. Porque, no momento em que falo, é a coisa do sacrário que falei, a gente acessa mesmo aquele estado e ali permanece. Uma coisa de muita profundidade, você estar só e muito feliz. Sensação de nada te faltar mais. Aí vem o entendimento do desapego, aquele que os orientais pregam tanto e que eu encontrava ali também entre os franciscanos. Veio o entendimento da necessidade de estar buscando uma vida espiritual. O autoconhecimento, a vontade de entender a renúncia, a aceitação da morte, a percepção da fraternidade da morte...

A profundidade da experiência espiritual de Ciro entre os franciscanos me surpreendeu e fascinou. Eu não fazia ideia de quão perto da verdade de Deus ele havia chegado. Só me dei conta disso quando o escutei falar sobre sua aceitação da morte. Eu já tinha um encantamento com o olhar budista sobre a morte. Tinha lido o *Livro tibetano dos mortos*, que trata da morte como a última meta e a mais importante para compreendermos a vida. Sempre achei essa visão maravilhosa. E, com Ciro contando sobre sua experiência como monge franciscano, reencontro em São Francisco de Assis uma parecida visão da morte. Ou, se preferirem, outra linda visão do morrer. Lembro-me agora de um trecho dos "Cânticos das criaturas" ou "Canto do irmão Sol" de São Francisco, trecho de extrema beleza e que gosto de recitar como se fosse oração:

"Louvado sejas, meu Senhor,
Por nossa irmã a morte corporal,
Da qual homem algum pode escapar.

Ai dos que morrerem em pecado mortal!
Felizes os que ela achar
Conformes à tua santíssima vontade,
Porque a morte segunda não lhes fará mal!"

Pensar em morte como uma transmutação da vida, e não como um fim em si mesmo, me dá um aconchego bom. É muito interessante como o simples fazer de um programa de televisão como o *Viver com fé* tem sido capaz de nos conduzir, com muita delicadeza, para tão perto de nós mesmos e de algumas das nossas mais relevantes questões. Para mim, isso faz esse trabalho ser especial e desafiador.

Aqui, não estamos mais fazendo o programa. Estamos escrevendo um livro. Juntas e sozinhas. Ora eu, ora a Cissa. E também nessa experiência da escrita, do encadeamento de palavras para tecer uma narrativa, acontecem novas aproximações com o meu mundo interior. Recontar a história do Ciro é reencontrar minha inquietude diante da morte. Ainda não consigo, como a Cissa, me sentir aconchegada pela ideia de que a morte é o renascer para outra vida. Pensar nesse tema me deixa muito aflita. Consigo aceitar a morte de meu pai da maneira mais serena e natural, como já disse, mas pensar na minha morte... dá medo. Angustia de um jeito ruim, acorda fantasmas. Devo dizer que tenho uma admiração profunda pela lucidez de São Francisco ao louvar "a Irmã

Morte", como ele a chamava. Sinto uma espécie de estranhamento, com uma ponta de inveja, quando escuto alguém tão humana quanto eu conseguir não olhar a morte como o fim em si mesmo. Como o *gran finale* da vida. Ciro despertou em mim esse misto de estranhamento e inveja. Assim como Cissa, que parece se identificar e entender esse olhar sobre a morte. Mas Ciro nos conta que nem sempre foi assim. Esse olhar foi uma conquista, fruto de muita vivência e crescimento espiritual.

Eu tenho experiências de vida, de sofrimentos, muito grandes. Tive a perda de meu irmão muito jovem, ainda cedo... Esse foi meu primeiro embate. O primeiro teste com a morte. Naquele momento, eu disse: "Espera. Preciso entender isso." Dessa forma fui me embrenhando por esse assunto primeiro, no budismo depois, até os escritos de São Francisco. E foi Francisco de Assis quem mais me ensinou sobre esse momento. Francisco amava a morte! A Irmã Morte... Ele é o primeiro, do Ocidente, que a abraça. No Oriente é normal. Nossa relação com a morte no mundo ocidental é muito difícil. Aí resolvi abraçar a morte também. Consegui ver a morte como uma coisa linda, não com aquela cara horrorosa, da caveira... Não sabia sobre esse lado de São Francisco quando perdi meu irmão. E mesmo depois, quando já galgava essa vida espiritual, a morte continuava sendo uma incógnita. Continuava um problema na vida. Entendo-a somente anos depois, mas a busca desse entendimento interior da morte como parte da vida começa com o falecimento do meu irmão. A gente começa a entender e a priorizar a morte na vida da gente. O medo da perda e a distância com relação à morte são muito grandes no mundo ocidental. A gente quer viver aqui, estar e ter tudo, a cada um é dada a parte que lhe pertence, mas considero que o importante é não se identificar, é usufruir sem se apegar. Você tem tudo, mas deve saber que é capaz de fechar a porta e sair somente com um paninho enrolado como calça e ser feliz porque sua vida não está ali, não está no que você tem. À medida que você vai entendendo a morte, não como sentido de fim, mas como sentido de vida, entende que é por essa passagem que a gente está indo. Existe um hino dos povos da floresta que diz: "A morte é muito simples, assim eu vou te dizer, eu comparo a morte igual ao nascer, depois que desencarna, firmeza no coração, se Deus te der licença, volta noutra encarnação." É verdade, é muito simples. O que nos faz sofrer é o nosso apego, que não é amor, apesar de ser confundido com ele. É necessário que a gente aqui e agora entenda e consiga se relacionar com o sentimento oculto da morte, que consigamos entender a relação dessa passagem que chamamos de vida com o que chamamos de morte. Só então poderemos nos considerar verdadeiramente libertos aqui. Senão, enquanto resistirmos, sofrendo, estranhando isso, tudo o que diz respeito à morte será sofrimento, apenas sofrimento. E ela está do lado da gente o tempo todo. A morte também é vida. E a vida passa. Tudo é efêmero.

Essas palavras do Ciro me emocionam desde o momento em que as ouvi pela primeira vez. Me fazem viajar para bem longe. Tenho uma fantasia: a Senhora Morte passando e você andando tranquilamente, quando a observa, sem olhar para trás, sem tristeza e sem dor, você simplesmente a reconhece e a acompanha. Acompanha os seus passos. Segue junto pelo caminho. Pelo seu caminho. Não digo que você não deva lutar pela sua vida no caso de uma pessoa que esteja doente. A gente tem que lutar. A fé nos dá essa força. Mas quando chega nossa hora, assim como o Ciro seguiu um Hare Krishna, depois um frei franciscano... Quando essa Senhora aparece, temos que segui-la. Sem dor. Sem dó. Só com amor e entrega, para nos sentirmos livres para atravessar esse portal e continuar de outra forma do lado de lá. Devo lhes dizer que é muito boa a sensação que essa fantasia traz. A ideia de que podemos nos sentir livres para nos entregarmos à passagem da morte gera um sentimento de iluminação e paz.

Reconheço a beleza desse olhar e também me emociono com ele. Mas não consigo ainda compartilhar da fantasia boa da Cissa, nem da entrega do Ciro. A morte para a mim é uma estranha. Uma estranha da qual fujo e que temo.

Depois que voltou de Assis, Ciro acabou montando com um coreógrafo muito amigo e também ex-bailarino do Dzi Croquetes um espetáculo sobre a vida de São Francisco, no qual atuaria como o próprio. A apresentação foi um grande sucesso e ficou em cartaz por doze anos seguidos. Em uma turnê, Ciro viajou o país difundindo sua arte e seu grande mentor espiritual. Uma de suas últimas apresentações foi em Assis, onde mais uma vez a arte e a espiritualidade se deram as mãos.

Doze anos fazendo Franscisco me trouxeram muitas experiências, muitas coisas boas. Além da apresentação artística, teve parte do dinheiro arrecado com o espetáculo que era destinado às obras franciscanas no Rio de Janeiro. Foram obras em capelas, muitas reformas e restaurações de tudo que levava o nome e a marca de Francisco de Assis. Eu tinha um sonho de restaurar aquele Hospital São Francisco de Assis do Rio, lá na Presidente Vargas, para atender a população de rua. Entrei de cabeça, não consegui restaurá-lo todo, mas levantei patrocínio para restauração parcial do hospital, incluindo sua capela. Eu disse: "Primeiro precisamos colocar Nosso Senhor aqui dentro." A linda reforma serve à população de rua. Tudo isso foi a peça que proporcionou. Entendi como uma missão e todos os anos eu voltava a Assis, passava um tempo com eles lá. Meu maior prêmio foi termos ido para Assis depois de dez ou onze anos em cartaz e apresentarmos o espetáculo num teatro que havia sido o bosque dos leprosos, lugar em que Francisco e Clara transitavam. Fui o Francisco mais chorão que o teatro já viu! Passei o espetáculo em prantos. Foi uma emoção muito grande; então, voltei à tumba e levei todo o grupo comigo. Ao longo dos anos foram vários elencos, mas sempre uma família. A felicidade de levar todos a Assis para vivenciarem um pouco daquilo que eu contava da minha história foi enorme e inesquecível. Todos nos ajoelhamos ali e eu falei: "Toma, meu paizinho, missão cumprida." A arte vem me proporcionando isso, caminha junto à espiritualidade na minha história.

Na hora em que escutei isso não me contive e, mesmo antes de encerrar a filmagem, fui em direção aos dois para abraçá-los. Estava tomada por uma felicidade serena de estar diante de Cissa e Ciro, dois artistas capazes de se colocarem como arautos de uma consciência maior de ser e estar no mundo. Ali naquele dia, naquele set, ficou ainda mais claro que a nossa matéria-prima no processo de qualquer trabalho sobre fé ou sobre vidas com fé é a sensibilidade.

E é com a sensibilidade bastante aflorada que partimos rumo ao encontro da história de outra pessoa. Luiz Augusto foi aquele que lhes contei que quando jovem, e também movido por uma angústia, se permitiu caminhar pelo mundo atrás de sua verdade. Verdade esta que já se fazia presente desde muito cedo em sua vida, mas com a qual precisava de um novo encontro, de olhar novamente para ela, para então conseguir tomar o melhor rumo em sua vida adulta.

Eu não conhecia o Luiz pessoalmente, mas já tinha escutado falar bastante dele como uma pessoa com forte conexão com o mundo dos espíritos. Luiz é um médico formado que deixou de exercer a profissão para trabalhar nos negócios do pai. Mas essa escolha não se deu por falta de vocação, e sim, pela percepção de que sua verdadeira relação com o cuidar de doentes era mais do que uma vocação. Era uma missão. Luiz então largou a medicina formal e foi trabalhar como médium de cura num famoso centro kardecista carioca. Primeiro, como voluntário no ambulatório que o centro espírita havia acabado de inaugurar. Depois, passou a colocar o seu corpo à disposição de espíritos desencarnados para que estes pudessem fazer o bem a outros corpos encarnados que estavam doentes.

Se a Cissa já conhecia o Luiz de nome como um renomado médium de cura, eu o conhecia pessoalmente como grande amigo da família de uma das minhas melhores amigas e nutria por ele um carinho especial. Sabia que era médium e também um profundo conhecedor e estudioso de assuntos religiosos. Fui com a Cissa encontrar o Luiz com mais dúvidas do que certezas sobre os caminhos que aquele encontro poderia tomar.

Assim como o papo com Ciro havia sido mais sobre suas vivências de fé do que propriamente sobre as superações de suas dores pela fé, a conversa parecia que iria seguir o mesmo caminho só que com um novo ingrediente: sua mediunidade. As experiências, agora, seriam vistas através dos olhos do médium. Esse era apenas um olhar possível. Mesmo em dúvida, foi nele que quis apostar.

Chegamos à casa do Luiz num fim de tarde. Reconheci o espaço, troquei ideias com o fotógrafo, observei o movimento do dono da casa enquanto nos preparávamos. Foi só quando tudo estava pronto que Cissa subiu, festejou com Luiz aquele encontro e se colocou a postos para começarmos.

Não demorou muito e, novamente, me surpreendi com a profundidade da conversa entre os dois. Era um entardecer já quase de inverno, a luz lá de fora caía rapidamente, anunciando uma noite mais quente do que fresca.

Eu estava um pouco ansiosa em encontrar o Luiz, e a espera da montagem da luz e preparação do set estava mais difícil do que nunca. Tinha muito o que fazer e precisava administrar com muita sensibilidade essa ansiedade. A primeira curiosidade que eu tinha em relação ao Luiz era quando e como ele se descobriu médium. Confesso ter certo fascínio pelas histórias de mistério que perpassam todos os caminhos desse viver com fé, às vezes não resisto em saber mais sobre o desconhecido e inexplicável. A mística da fé me fortalece no aqui e agora, me aproximando de tudo que é de Deus e que parece não ser daqui. Tinha o pressentimento de que Luiz era um bom companheiro para me conduzir por esses caminhos misteriosos.

Cissa começou o papo sem rodeios. Sua primeira pergunta foi como e quando ele tinha se descoberto médium. E a resposta imediatamente nos conduziu para o tal mundo dos mistérios.

Desde pequeno comecei a ver coisas na cortina do quarto, eu via quando estava no colégio, onde eu sentia sono durante a aula e tinha desdobramentos. A sorte é que nasci numa família que já conhecia aquilo. Meus pais conheciam porque minha avó materna era espírita e médium. Chamava-se Judith e seu dom de mediunidade também se manifestou na infância. As entidades que apareceram fizeram com que ela fosse buscando essa vida, a partir daquela mediunidade, de servir às pessoas, ir atrás de algo maior... Eu surgi no mundo quando ela já estava com 50 anos de mediunidade e fui criado nesse meio. Por uma afinidade maior talvez, alguns parentes foram mais para perto da fé através desse caminho, eu fui um deles. Depois de conhecer o fenômeno em minha avó, com as coisas que ela fazia para os outros por ser médium, como ajudava as pessoas etc., tudo isso tocou fundo em mim e daí em diante não me desliguei mais. Nós tínhamos uma afinidade muito forte. Então, quando o dom começou a aparecer em mim, ela naturalmente se encarregou de me cuidar. Eu tinha mais ou menos 8 ou 9 anos. Sempre procurei ter a vida de uma criança normal, apesar de tudo. Porque a religiosidade na família era uma coisa que não era tratada de modo formal, era muito natural.

Ter nascido em uma família em que a mediunidade já era conhecida e aceita facilitou, e muito, a relação dele com os fenômenos sobrenaturais que o atingiam quando criança. Luiz foi crescendo e, ao passo que convivia com sua avó Judith e já conseguia ter certo entendimento do que se passava consigo, fazia um grande esforço para ter uma vida normal, como os outros adolescentes ao seu redor. Mas o fato é que ele portava algo a mais. Algo diferente. Isso não tinha como negar. E foi quando fez a tal viagem de mochila pela Europa para tentar dar conta de suas angústias profissionais que teve a percepção do tamanho que tudo isso tinha dentro de si e de sua vida.

Minha adolescência foi normal como a de todo mundo. Surfava na praia de Ipanema e também tinha interesse pela espiritualidade, então imagina o conflito que isso gerava. Você quer largar, mas aquilo te puxa. Você quer ser igual aos outros, mas ao mesmo tempo questiona qual é o problema em ser diferente. Então foi uma crise muito profunda, chegou o momento em que questionei tudo e não acreditava mais em nada. Entre os meus 15 e 19 anos foi uma luta tremenda, mas agradeço muito por isso porque me fez ser o que sou hoje. Eu não aceitava as coisas impostas, batalhei muito dentro de mim para entender a crença, e quem passa por isso sabe que causa um sofrimento profundo. Isso durou até os meus 19 anos, até que tive a felicidade de fazer uma viagem de mochileiro com meu irmão. Quando passamos perto de Assis, tive curiosidade. Não sei explicar, tinha algo mágico, uma presença que não sei definir. Entrei ali e senti um redemoinho bom na minha cabeça. As coisas começaram a mudar. Voltei daquela viagem mudado. Começava a faculdade, pois tinha desistido da minha carreira de músico para fazer medicina. Naquele momento em que tudo mudou, passei a entender que a espiritualidade era algo fundamental. Houve um momento em que me deu um *tilte* ao descobrir que a vida de São Francisco tinha sido abandonar completamente o mundo, e achei aquilo possível. E de uma forma muito clara senti que tinha que abandonar tudo como São Francisco. Voltei certo disso.

De volta para casa com a ideia de abdicar da vida mundana e ingressar num caminho de vocação religiosa como o de São Francisco, Luiz recebeu de sua avó Judith uma importante revelação. Da qual jamais duvidou e que foi decisiva para sua vida dali adiante.

A minha avó era muito especial, um dia me chamou e disse: "Tenho um recado de alguém para te dar. É de Francisco de Assis. Na verdade o que as pessoas pensam é que ele é um santo que está no altar lá em cima, e não que ele vive por aqui. Mas ele está sempre por aqui. O amor que tem não faz ele querer largar esse mundo enquanto não puder fazer alguma coisa a mais. E ele não quer que você faça voto de castidade nem voto de pobreza, ele quer que você leve uma vida normal. Vá em frente, que ele vai te ajudar." Fiquei estupefato, pois era um segredo meu essa vontade de abdicar de tudo, não tinha falado para ninguém. E ela, numa simplicidade e clareza, falando aquilo tudo para mim... Foi muito forte. Saí dali pensando: "Tá. E agora? Como faço isso?"

Para Luiz Augusto esse "recado" de São Francisco ainda parecia nebuloso por ele não saber como fazer para seguir com sua vida e ao mesmo tempo dar conta de uma espiritualidade preeminente como a que portava.

Eu tinha deixado a música porque foi a única coisa na vida que senti que meu pai realmente não admitia; quando fiz isso ele ficou muito tocado. Hoje meu filho é músico e sou muito feliz pelo que ele é. Mas o entendimento naquela época era diferente. A medicina, com a qual eu até tinha certa afinidade por ser uma arte, sei lá... parecia fazer muito sentido. Fiz uma faculdade pública boa com excelentes professores. Então, essa história da espiritualidade nesse período passou a ser intensa. Não atuei como um guru, exceto com a cobertura da minha avó e das entidades que trabalhavam junto com ela, algumas até da umbanda. Li muito sobre a espiritualidade no período da faculdade. Então, além de estudar medicina (que tem muita coisa de espiritualidade), a mediunidade ia ficando mais forte, mais presente. Foi então que tomei a resolução de ajudar os outros através da medicina, pois na minha cabeça era o caminho para usar também essa minha espiritualização. Sei que, quando os médicos são voltados para esse lado, podem ser inspirados por forças superiores e pensei que era por aí. Tive sorte de ser assistente de um professor que é amigo meu, Luiz Carlos Faria de Araújo, alguém que já tinha uma clínica muito grande, e eu embarquei de cabeça nesse cuidar médico. Era uma medicina moderna e que tratava aquilo como profissão. Foi o segundo estágio de questionamento. De repente comecei a ganhar muito dinheiro como médico-assistente de uma clínica grande e aquilo me embaralhou a cabeça de novo. Não sabia se queria a medicina desse jeito, eu respeito, não tenho nada contra quem faz, mas aquilo não funcionava dentro de mim. Isso foi em 1982, minha avó estava muito doente, mas ainda trabalhando, e meu pai havia se tornado sócio de uma instituição financeira. A partir daí decidi buscar outra profissão para me sustentar e colocar toda minha energia e conhecimento de médico somente para ajudar quem precisava. Queria aliar à medicina todo o meu entendimento espiritual. Larguei o consultório e pedi emprego ao meu pai só pra ter uma renda. Me formei em economia e então tive a ideia de procurar um centro espírita bastante conhecido no Rio, que tinha acabado de inaugurar um ambulatório, para atender a comunidade carente ao seu redor. Bati na porta do ambulatório do Frei Luiz e me ofereci como médico voluntário. Fiquei anos me dividindo entre o banco de investimento do meu pai e o trabalho de atendimento nesse ambulatório.

A decisão de Luiz foi largar a carreira formal de médico para então seguir a sua vocação de cuidar, atividade que incluía uma percepção do ser muito maior do que a da ciência médica. Largou a medicina e seguiu adiante. No centro espírita de mais renome do Rio de Janeiro, Luiz começou como médico voluntário, mas com o tempo passou a trabalhar também como médium de cura nos trabalhos espirituais que lá se realizavam.

Eu já tinha estado no Frei Luiz. Numa época em que tive um problema de saúde, fui levada por um amigo a buscar um reforço do tratamento médico que fazia. Meu caso não era grave e a cura foi breve. Mas a experiência daquele tratamento espiritual foi enriquecedora, e nunca tive dúvida do quanto havia sido decisivo para o sucesso da minha cura. A Tissa, no entanto, nunca tinha estado lá e, mais do que isso, parecia de fato não entender a magnitude dessa missão de médium de cura que Luiz começava a nos descrever com tanta propriedade. Eu percebia isso pelos seus movimentos no set. Pela quantidade de vezes que ela cochichava ao pé do ouvido do fotógrafo... Cheguei até a chamar sua atenção. Sentia que de alguma forma aquela conversa poderia mostrar para ela que essa comunicação com o mundo de lá tem muitos matizes. Ela me escutou e aparentemente se aquietou.

Quando Luiz Augusto ingressou nos trabalhos espirituais realizados no Frei Luiz era apenas um auxiliar dos médiuns mais antigos e experientes da casa. Com o tempo, um dos principais coordenadores do centro o chamou para que fizesse parte do grupo que realizava os trabalhos mais importantes de cura espiritual. Nesse momento, começou a participar de trabalhos de cura de materialização. Trabalhos que consistiam no tratamento do doente eram feitos a partir da materialização dos espíritos desencarnados nos médiuns. Nesse processo, o médium recebia no corpo o espírito na forma mais radical e até visível. Eu conhecia esse tipo de trabalho e fiquei muito contente ao saber que ali com Luiz poderia saber mais a respeito. Sem hesitar, perguntei se ele poderia me contar como eram os trabalhos de materialização.

Levei um susto ao escutar isso. Devido a minha formação, eu havia tido muito contato com as religiões afro-brasileiras e seus rituais de possessão, já que meus estudos como antropóloga, na maioria dos casos, foram voltados para essa área. Logo, já tinha visto milhares de médiuns receberem no corpo suas entidades, mudando totalmente a maneira de falar, andar, dançar... até se portar. Mas nunca tinha ouvido falar de qualquer fenômeno parecido com esse no espiritismo de "mesa branca" ou kardecismo, como costumam chamar. Na verdade, nunca tive proximidade com essa denominação religiosa, muito menos com suas práticas rituais. Sempre estranhei o pouco que sabia a respeito e agora parecia estranhar ainda mais. Resumindo: eu não fazia a menor ideia do que seriam essas materializações. Segurei-me para não interromper a conversa dos dois, estupefata, principalmente depois de já ter levado uma chamada da Cissa por conta da minha inquietação naquele set. Escondi meu rosto atrás do monitor para não deixar escapar nem um pouquinho do que sentia naquele momento. Não queria que nada interferisse e quebrasse o fluir daquele encontro. Escondida e inquieta, escutei Luiz calmamente responder a Cissa.

Acho que posso, sim, falar sobre materialização. Os meus três primeiros trabalhos de materialização foram em 1982, época em que o grupo de materialização estava se recuperando porque o médium principal tinha perdido seus pais. Ele estava muito abalado por perder mãe e pai, e nesse trabalho precisa de muita energia, porque ali os espíritos se materializam mesmo. A minha primeira experiência marcante como médium atuante em um desses trabalhos foi a materialização do espírito de Rita de Cássia, que se materializou perfeitamente! Nunca mais esqueço isso. Ela saiu da cabine e veio até o meio, aquela freirinha baixinha, o médium de materialização era corpulento, mas parecia uma perfeita mulher. Ela chegou iluminada e jogou perfume em cima de todos nós que estávamos ao redor. Fui com esse perfume para casa e cheguei perto da minha avó, que estava muito doente, e ela percebeu o cheiro e me disse: "Agora estou feliz porque sei que você está bem entregue." Uma hora depois, ela foi embora, desencarnou em 1983. No ano de 1986 eu já fazia com Rocha Lima, o médium que era uma espécie de meu "tutor" no centro, o revezamento das reuniões e trabalhava com as pessoas num leito, as entidades saíam para tratar com aparelhos. De repente, vi um espírito vindo, não estava iluminado, não era um espírito materializado, que é outra coisa. Materializado é material mesmo, não transparente. Ele se corporifica, tem peso, e até pulsação. Tem médicos que você pega em transe e o espírito tem até duas pulsações diferentes. A do médium a 140/150, ele em transe com o espírito fica a 70/75. Estive quinze anos no Frei Luiz e via trabalhos como esses a cada quinze dias. Mas, nesse dia, um espírito chegou ainda não materializado, e me encostou a mão. A minha avó era muito carinhosa, cansei de ficar no colo dela recebendo seus afagos. Quando essa mão encostou, não tive a mínima dúvida de que era a mão dela. Logo que me encostou, levei um susto e, quando olhei, a vi completamente materializada. Ela quis se mostrar primeiro para eu não achar que era uma ilusão. Era uma lembrança afetiva forte o toque de sua mão. Nós nos emocionamos e ela imediatamente se desmaterializou, mas aquilo ficou marcado para mim. Foram 30 segundos; contudo, foi algo que me deixou tão emocionado que pedi para que o Gazola, outro médium e muito amigo, passasse a conduzir a reunião. Essa experiência só me animou mais, comecei a trabalhar mais e ainda era a década de 1980.

Em 1989 comecei a pensar em me desligar da instituição financeira, mas, nesse mesmo ano, meu pai desencarnou de forma traumática, no sinal do cruzamento da rua Mena Barreto com a Sorocaba, em Botafogo. Ele foi morto na rua, durante um assalto. Levaram o carro, documentos, e ele ficou completamente sozinho na rua. Fiquei sabendo só depois do acontecido. E nessas horas você vê se o que está vivendo faz algum sentido. Foi um acontecimento que me trouxe muita dor e sofrimento... E ao mesmo tempo achei que era algo que tinha que ter acontecido, mas não acredito em fatalidade, como algo totalmente ao acaso. A coisa tinha que acontecer como aconteceu, sempre dentro do sofrimento vem algo que te diz para olhar pra frente. A partir daí até me surpreendi, pois sempre senti uma intuição de medo de perder meu pai. Tinha premonições, sempre ficava muito preocupado quando ele saía de noite. Era uma coisa que estava sempre rondando, e quando isso aconteceu, acabei tendo que voltar pra valer à instituição financeira. Assumi o lugar dele junto com meu irmão, e o processo espiritual teve que conviver com mais essa vida de empresário. O que surpreendeu no fato de o meu pai ter ido embora foi a forma como encarei, ainda mais por ter tido premonições quando pequeno. Foi uma dor que trazia também uma renovação muito grande. Aconteceu, então, o segundo momento forte da materialização que eu queria contar. Dois anos depois de ele ter desencarnado, eu me policiava para não querer vê-lo, nem em sua forma material. Achava que não precisava disso para senti-lo. Mais dois anos se passaram e, de forma diferente, ele apareceu materializado na minha frente com um sorriso muito peculiar, pôs a mão na minha cabeça... Ficamos muito emocionados e durou mais que a aparição da minha avó. Foi algo que trouxe um mimo da espiritualidade para mim. Dali em diante, passei a entender que fé é uma coisa que, se não está na sua vida, pode tornar tudo muito mais difícil. Ela faz muito diferença na vida e para a vida.

Foi muito emocionante escutar a história do Luiz contada com tanta serenidade, fé e verdade. Eu não tinha sequer uma ponta de dúvida da realidade daqueles eventos. Sentia aqui dentro que reconhecer e acreditar na existência deles alimentava em mim o desejo e a esperança de que um dia eu também poderia receber da espiritualidade um mimo desses. Uma esperança, assim como a minha dor, só minha. Uma esperança que trazia o Rafa, meu filho, ainda mais para perto.

Estava me estranhando diante das histórias que acabara de escutar. Só que dessa vez era um novo estranhamento: naquele momento nada do que o Luiz tinha nos dito parecia fora de propósito, ou mesmo impossível. Naquele instante, eu olhei para Cissa e comecei a farejar a mesma esperança que ela. Uma esperança, assim como a minha dor, só minha. Uma esperança que trazia o Ricardo, meu pai, ainda mais para perto. Sinto isso e me estranho. Tudo ao mesmo tempo. Luiz pareceu perceber todo esse estranhamento que me tomava e incomodava. Não se abalou, mas continuou sua fala como se estivesse me indicando o caminho para dissolver esse sentimento ou, quem sabe, acolhê-lo.

Depois de toda essa experiência como médium, fui começando a entender que a fé é maior do que a percepção dos sentidos. E é mesmo. A fé tem um lado operante muito importante, pois abre campos novos. Atualmente, a ciência também abrange o entendimento da vida como algo maior, incluindo o campo da fé. Ela que abre os espaços desconhecidos dentro da gente, que nos puxa, como um buraco negro. Pode ser comparado à respiração: ao inspirar, abrimos um espaço entre as duas paredes fleurais do tórax, formando um vácuo. A gente tem a percepção de que puxa o ar, mas ele entra por diferença de pressão. Quando você inspira, abre a fleura e, quando o ar está no pulmão, a pressão que não o deixa entrar diminui e o ar penetra no pulmão. A respiração diafragmática completa essa história toda, e a ioga nos ensina que quando você respira direito entra em contato com a vida. Acho que ali é o símbolo da fé, que é comparável à respiração, abrindo um espaço virtual que faz com que as coisas entrem nele. Fé, para Jesus e alguns mestres do Oriente, não se trata de um ato passivo, mas ativo, em que se deve abrir espaço para a entrada de sua força. Ela é ativa porque puxa a realidade para ela. Quem tem fé não só penetra em zonas que trazem consolo, renovação para a vida, como passa a atuar de forma diferente. Você pode ter fé de forma mais corriqueira, a fé verdadeira é próxima da certeza, é uma certeza. As pessoas de fé mais "involuntária" são chamadas pela espiritualidade para ter esse tipo de atitude em relação a outras coisas que nos cercam, que fazem parte da vida e ainda nos metem medo, como a morte, a doença.

Mesmo ainda estranhando muito, me dou conta de que ter e compreender a fé é uma conquista que depende de uma longa caminhada, mas que aos poucos começava a fazer sentido. Meu pai era budista e gostava muito de escrever. Sempre teve o hábito de colocar seus pensamentos e estudos sobre budismo e fé em cadernos que guardava e não deixava ninguém ler. Quando comecei a pensar que forma daria ao *Viver com fé*, meu pai já tinha morrido fazia um ano e eu me enchi de coragem para abrir seus cadernos e ler seus escritos. Muitos dizeres da Cissa no off, que ajudam a narrar as histórias nos episódios do programa, saíram desses cadernos. E agora, ao escrever, me lembrei de algumas frases do meu pai: "O espiritual não está necessariamente fora da gente, é como devemos levar nossas vidas, é o nosso compromisso com o nosso estar no mundo. Significa ter fé e confiança nas suas ações e resultados. Ter fé que você pode despertar a mente e seguir um caminho que valha a pena. A fé mora no coração; o *insight*, na mente. E é só quando conseguimos unir mente e coração que conseguimos afastar o medo do desconhecido e nos colocarmos no aqui e agora. Não tenha medo de ter fé, nem de incluí-la no seu eu. Não tenha medo de assumi-la nem de colocá-la no mundo."

Os escritos do pai da Tissa, relidos agora durante os encontros com o Ciro e o Luiz, ganham mais força e alcançam outra dimensão. Meu encontro com o Luiz aconteceu depois de meu encontro com Ciro. Era outro dia. Era outra história. Era outro caminho. Foi por esse caminho que cheguei a falar sobre a morte e São Francisco de Assis também com o Luiz.

Para o espiritismo a morte não existe. Jesus nunca se referiu à morte como algo definitivo, ele foi o primeiro a ressuscitar para que a gente pudesse fazer o mesmo. Espiritualidade é entender que qualquer um desses caminhos pode valer. Jesus insistia muito nisso. Um dos membros do Cinéreo faz uma pergunta dessas a ele, como: "Para melhorar eu tenho que nascer de novo, preciso voltar ao ventre da minha mãe e nascer?" Jesus brinca com ele, dizendo: "Você é um sábio de Israel e me faz essa pergunta. Você ainda duvida? Nós estamos falando de reencarnação, isso é um fato, você ainda questiona isso?" Estou falando de outro nascimento, nascer de novo não é só reencarnar, nascer de novo é abrir sua consciência para um plano diferente desse em que estamos enclausurados. Na verdade, quando Jesus veio, muito igual à Krishna, foi para mostrar que a gente está encarcerado numa prisão que nós mesmos montamos. E não é uma prisão apenas de corpo físico, porque você pode estar lá num estado liberto que a gente chama de mundo espiritual e ainda assim essa prisão está lá com você. Jesus estava propondo uma libertação diferente. Por isso ele usa a fé como esse processo, como uma ponte que leva a esse estado de consciência superior, e sem a qual você não chega a ele. É uma fé que transcende a fé religiosa, a crença em algo espiritual. A crença faz parte da fé, não é ela por inteiro. É sobre isso que Jesus estava falando. O nascimento de novo é o nascimento do espírito, nascimento da água – que era o símbolo do corpo

– tem que ter, você tem que renascer também; mas há um outro nascimento que está por trás e é o mais importante para mostrar às pessoas, que é o do espírito e que pode se realizar a qualquer tempo.

Realmente linda essa ideia de que podemos a qualquer tempo fazer renascer o nosso espírito. Pensar assim faz a vida ficar mais viva, podemos vislumbrar a paz, olhar para tudo a nossa volta com fé. Até para a morte. Esse pensamento nos leva de volta a São Francisco. Luiz, ao voltar a falar de sua relação com a morte, chama atenção para uma coisa muito importante: a humanidade. Não há como qualquer um de nós, por mais iluminados que possamos ser, olharmos para a morte ao mesmo tempo com espiritualização e sem humanidade. E isso não é um paradoxo, mas uma realidade. E São Francisco de Assis me encanta tanto justamente por ter toda sua vida de santidade e, mesmo assim, nunca deixar de vislumbrar sua humanidade. Por isso, eu o sinto tão perto.

Além disso tudo, a gente vive como se não fosse morrer e, no fundo, a única coisa que sabemos que irá acontecer é o que chamamos de morte. A consciência cósmica aparece num cântico de São Francisco: "Morrer para nascer na vida eterna." Ele tinha a perfeita noção disso. Então a "Irmã Morte" era algo que ele estava esperando, mesmo sendo irremediavelmente humano. A gente tem sempre que imaginar que, mesmo sendo potencialmente perfeitos, podemos falhar. O momento em que São Francisco partiu foi muito bonito, ele desapega da própria ordem. Diz: "Esse aqui é o frei Catanha que vai mandar em vocês. Eu sou um fradezinho e vou para lá", e foi assim que ele ficou dois anos. Estava muito doente, tinha aquela paixão por Santa Clara que não estava resolvida, fez uma cabana perto do mosteiro das clarissas. Ali ele compôs os "Cânticos das criaturas", a oração dele. Quando percebeu que estava quase morrendo, pediu para ir a Porciúncula. Na hora em que sentiu a proximidade da morte, São Francisco pediu que o colocassem no chão. Na visão católica, o demônio se aproxima dele. Na visão mais espiritualista, ele vê um espírito, uma entidade que estava querendo atrapalhar. São Francisco era médium. Ele ouve a entidade dizer: "Você fez tudo isso e não adiantou nada, você vai comigo." Na hora de partir, ele tem dúvida, questiona, sente medo. Naquele momento o Arcanjo Miguel – que segundo a tradição era o protetor dele – se manifesta e a cabana se enche de uma luz azul, um perfume. Ele se acalma, pede que todos cantem um salmo. Andorinhas pousam no teto e, quando ele dá o último suspiro, elas levantam voo. A morte também liberta.

É incrível como a escuta, às vezes, não é um ato de passividade e pode resultar em ação. Todas as vezes que escutamos e somos levados a seguir caminhos. Por exemplo, ao escutar Luiz falar, sou levada à ação. Entendi que já era hora de parar de ter receio de enxergar o real tamanho que a fé começava a ter dentro de mim. Foi ali que percebi que só acolhendo a minha fé é que conseguiria olhar de forma mais leve para a morte. Não para a morte do outro. Não para a morte como uma realidade estranha, mas para a minha morte. E, assim, me sentir também cada vez mais livre na vida de aqui e agora. Ao escutá-lo, comecei a caminhar nessa direção. Apenas comecei. E junto comigo, nesse caminhar, carrego minhas humanidades. Pois sem elas eu não sou.

Bonita a coragem que a Tissa tem em se colocar aqui diante de nós. Sua atitude me inspirou a dizer que também acredito que não podemos mesmo deixar de fora da nossa espiritualidade, a nossa humanidade. E com isso é preciso assumir que a possível compreensão da morte também oscila. Tem horas que compreendo a morte como renascimento e não como fim. Mas somos humanos e em alguns momentos me coloco diante dela apenas com a minha humanidade. Tem horas que me sinto muito forte. Outras, com uma saudade dilacerante... Até tento não ter essa saudade da presença física de quem já se foi que é lancinante, mas há momentos em que você quer olhar, tocar... Porque é tão gostoso beijar, abraçar. Esses momentos são difíceis. Mas eles não são os únicos momentos. Há os momentos da saudade boa. Daquela saudade que dá prazer e afasta a melancolia. Há momentos da aceitação... Aceitar essa condição é aceitar a minha dor, a saudade cortante que carrego comigo. É aceitar que haverá dias melhores, dias piores... Mas que em todos eles devemos, além de aceitar, confiar e entregar. Para mim, o caminho é a fé. E aprendi isso também com Luiz Augusto.

Enquanto a gente está aqui, nada de condenação. Não vamos cobrar nada, temos que pensar em como a gente sai disso. Sem nenhuma cobrança, com compaixão consigo mesmo. Compaixão com o outro. A unidade. Essa é a grande lição de todos eles, de todos os mestres da espiritualidade. A fé é o grande processo que unifica isso tudo. Talvez ter fé seja a mais sublime qualidade do homem. Ela ilumina, dá acesso à luz, sem se restringir a qualquer crença religiosa. Essa fé maior de que falamos abre espaço novo, nos possibilitando dar novo sentido à vida. Vale a pena experimentar.

Com angústia ou estranhamento, não sei bem ao certo, acabo aquele dia com a certeza de que deixar minha fé livre para ocupar o espaço que lhe cabe em minha existência é algo que quero experimentar. Que vale a pena.

Antes de me despedir, Luiz Augusto pede que eu espere um minutinho porque ele gostaria de ler o trecho de algum dos escritos de São Francisco. Ele se levanta, vai até o escritório e volta com um livro grosso e imponente. Chega bem perto de mim, abre em uma página qualquer e, sem nenhum tempo para escolha, começa a ler:

"A alegria espiritual e seu louvor. O mal da tristeza.

São Francisco garantia que o remédio mais seguro contra as mil armadilhas e astúcias do inimigo era a alegria espiritual. Costumava dizer: 'A maior alegria do adversário é quando pode roubar ao servo de Deus o gozo do espírito. Carrega um pó para jogar nos menores meandros da consciência, para emporcalhar a candura da mente e a pureza da vida. Mas, quando os corações estão cheios de alegria espiritual, a serpente derrama à toa o seu veneno mortal. Os demônios não conseguem fazer mal ao servidor de Cristo quando o veem transbordante de santa alegria. Quem tem o ânimo choroso, desolado e triste é facilmente absorvido pela tristeza ou então é levado a alegrias vãs.'

Por isso o santo tratava de viver sempre no júbilo do coração, conservando a unção do espírito e o óleo da alegria. Evitava com muito cuidado a horrível doença da tristeza, a tal ponto que era só sentir fraquejar um pouco e ele já corria a rezar. Dizia: 'Quando o servo de Deus se sente perturbado por alguma coisa, como acontece quase sempre, deve levantar-se quanto antes para rezar, e ficar firme diante do Pai, até que lhe devolva sua alegria salutar. Porque, se a tristeza demorar muito, fará desenvolver-se o mal babilônico que, se não for lavado pelas lágrimas, produzirá no coração uma ferrugem que vai ficar.'"

Em silêncio, ainda tomada pelas palavras de Luiz e de São Francisco de Assis, me levanto e me despeço com um abraço. Olho para Tissa, sorrindo. E sigo de volta a minha vida com alegria. Com muito mais alegria!

FÉ NA RENOVAÇÃO: UM CATÓLICO, UM BUDISTA E UM JUDEU

Fabiano Alexandre
Alcio Braz
Ian Mecler

Da minha janela, vejo as árvores e os pássaros que sempre foram palco da minha vida. Tenho a sensação de que eles carregam em suas copas e asas a memória de tudo o que já vi e vivi. Sempre fui muito curiosa e estudiosa. Alterno a leitura dos meus livros com reflexão sobre o que foi e o que ainda será, meus queridos mestres, pessoas amadas, minhas verdadeiras inspirações que foram e são o meu acolhimento, a minha força e a minha felicidade. Abrir os olhos pela manhã me emociona, é como se todos os dias Deus estivesse me dando uma nova chance de errar e acertar, evoluir e renovar. Estar *viva* me emociona. Sinto-me abençoada com a oportunidade de restauração da minha alma que o programa me trouxe, uma verdadeira fonte de vida e renovação. A cada encontro, a cada abraço, saio com a sensação de ter entrado em uma cachoeira, lavado meu espírito e entregado a Deus as dores e dúvidas do meu coração, com a certeza de recebê-las de volta renovadas na fé e na vida. Nasci com um compromisso: ser feliz.

Encontrar Fabiano, Alcio e Ian fortaleceu ainda mais a minha missão de curar o sofrimento a cada novo dia.

Seu sorriso é encantador, seus olhos brilham. É quase impossível acreditar que, com apenas 32 anos de idade, Fabiano, um jovem professor de história do ensino médio e aluno de biblioteconomia da UniRio, já tenha vivido duras perdas e difíceis histórias de superação. Sinto-me bem ao seu lado. Seu relacionamento com Deus é tão próximo e íntimo, que parece até que consigo enxergar esse laço que os une. Mas não foi sempre assim...

Em 1999, Fabiano, com 19 anos, perdeu seu primeiro filho, de apenas 2 anos, vítima de infecção hospitalar durante o tratamento de um câncer no cérebro. Foram quatro meses dormindo no INCA. Por quê, meu Deus?, me pergunto. Por que aquela mesma dor? Por que será que a maior das dores estava também reservada a um garoto que mal aprendeu a ser pai e já teve que aprender a encarar a morte de um filho? Perguntas que ainda não sei responder sozinha. Sou consolada pelo próprio Fabiano, que recita um provérbio da Bíblia sobre a dor que purifica a alma. Viro minha cabeça, olho no fundo dos olhos da Tissa e o seu olhar, acalentador, me faz continuar a entrevista. Escutar que naquele período de sofrimento ele descobriu a palavra de Deus através da Bíblia e pelas mãos de sua mãe foi mágico. Fez sentido.

Confesso que, quando ela me olhou, por alguns segundos me arrependi de estar ali. Talvez eu tivesse passado do limite. Será que ela vai aguentar escutar e acompanhar aquele sofrimento? Será que eu vou aguentar? Foi como se eu fosse responsável por aquele "re-sofrimento" de nós duas, ou melhor, de nós três. "Foi instantâneo", disse ele, interrompendo meus pensamentos. Nos contou com seus olhos sorrindo que, ao abrir na página do livro dos salmos, percebeu claramente que Deus estava ali, ao seu lado, cuidando de sua vida e conduzindo os acontecimentos, mesmo que dolorosos, da melhor forma possível, sendo feita a Sua vontade.

Nasci na zona sul do Rio e tinha o apelido de Farme, já que passei grande parte da minha infância em Ipanema, na rua Farme de Amoedo. Fui um garoto normal, que dava mais atenção ao surfe, aos meus amigos, às festas (e muita bebida) do que à igreja e à espiritualidade. Minha família é católica, mas nunca teve o hábito de frequentar a igreja. Mesmo assim, cuidou para que a fé se instalasse em meu coração. Eu a guardei em uma gaveta solitária e escondidinha. Como se eu já soubesse que iria procurá-la, ou mesmo que ela soubesse que seria encontrada. E o mais especial foi que abri a gaveta, ainda muito timidamente, mas de mãos dadas com a minha mãe. Nesse período tão difícil em nossas vidas, ela se converteu ao protestantismo e me convenceu a procurar uma resposta na Bíblia e a me aproximar de Deus. Lembro-me bem de um trecho do salmo 30 que mexeu muito comigo, que fala: "A dor vem à noite, mas a alegria vem pela manhã." Foram duros os episódios que enfrentei, mas a perda de Gabriel, meu querido filho, foi definitivamente o mais duro e também o mais carregado de imensa promessa divina de uma vida nova, entregue à fé. Enchi-me de esperança, mas ele não resistiu. Abracei-o e ele não estava mais lá. Beijei-o. Acabou a dor. Deus havia levado seu espírito. Entreguei e entendi que precisava andar com ela, a minha fé, ao meu lado. Hoje, certamente minha filosofia de vida é o cristianismo. Quatro anos depois da perda do meu filho e já separado de minha esposa, recebo uma ligação da minha mãe. Meu pai havia sido baleado e estava em coma no hospital. Corri ao seu encontro. No caminho, uma dura realidade me assombrou. Fazia três meses que não o via ou dizia que o amava. O arrependimento e a culpa por todas as vezes perdidas de não declarar o meu amor quase me impossibilitou de chegar até ele. Cheguei. Eu te amo.

Essas palavras ecoaram no estúdio, ou melhor, na biblioteca da faculdade onde Fabiano dá aulas, local em que gravamos o programa. Todos ali presentes escutaram sua história e todos se calaram, cada um com seu arrependimento, planejando o dia em que ajustariam suas contas. Dois dias depois seu pai faleceu. E, mais uma vez, Fabiano nos presenteou com seu conhecimento litúrgico e nos citou uma passagem da Bíblia em que está escrito que temos de amar: "São João falava que Deus é amor em sua plenitude máxima."

Apenas um ano depois da morte trágica de seu pai, Fabiano depara com uma situação muito parecida, porém agora envolvendo a sua própria vida. Estava em um bar no exato momento em que acontecia uma tentativa de homicídio e levou dois tiros. Lembro-me da sensação de todos os dias quando me ajoelho em frente ao pequeno altar que tenho em minha casa antes de sair para pedir proteção aos anjos queridos e santos de devoção. Estamos correndo riscos o tempo todo; somos finitos. Percebo que seus olhos não piscam nem permitem que os meus se afastem dos seus. Foi intenso quando disse que estava com a sua fé um pouco de lado naquela hora e que, no mesmo segundo, conseguiu recuperá-la para nunca mais soltá-la.

Renata, sua namorada na época, o acompanhou no hospital junto com um amigo. Ali mesmo, na emergência, fizeram votos de amor e comunhão com Deus. Pouco tempo depois, já recuperado, casaram-se, tiveram um filho e passaram a frequentar o grupo "Deus da paz" da igreja de Nossa Senhora da Paz em Ipanema, no Rio. Aos sete meses de gravidez, Renata e Fabiano descobrem que seu filho, Arthur, nascerá com lábio leporino. Sentiam-se felizes, pois a fé estava muito presente, Deus os acolheu para passar por mais essa prova de amor e confiança. Apenas três meses após o nascimento de seu bebê, Renata falece, vítima de um forte choque anafilático causado por alergia a medicação.

Ela me deixou no mesmo politrauma onde disse que se casaria comigo e mudaria minha vida. Cumpriu sua promessa. Foi velar por mim e Arthur no céu.

Sinto minha respiração ofegante. Que exemplo. Sua luz é realmente imensa. Vejo na expressão da Cissa que esse encontro realmente precisava ser um dos primeiros para nos guiar, até mesmo para nos chacoalhar e para todos ali, em comunhão, entendermos a delicadeza que precisaríamos ter todo o tempo ao fazer esse programa. Minha responsabilidade aumentava junto com a minha fé. Todos ali queriam abraçá-lo e consolá-lo, mas, mais uma vez, foi Fabiano quem nos acolheu com a força da escolha das palavras nascidas de sua fé:

Não deixem que a sua certeza os afaste da verdade. Para mim, a minha certeza é Cristo, eu chego ao Deus todo-poderoso por intermédio de Jesus. Superei a morte de Renata e cuidei da doença de Arthur sozinho porque tive amigos e uma igreja. Superei porque fui amado; o amor foi meu remédio, minha bússola. "Se você não ama o próximo que tu vês, como vai amar a Deus que tu não vês?" "Aquele que não ama não vê Deus, porque Deus é amor." Quando escondo minha face, eu posso ver a face de Deus. Quantas coisas aconteceram em minha vida para que as pessoas me olhassem e dissessem: "Deus existe." Deus é maravilhoso comigo. Noivei de novo com uma mulher linda, Fernanda, que me ajuda muito com meu filho, assim como a família da Renata. Há um ano e meio descobri que estava com leucemia. As coisas acontecem porque têm que acontecer. Temos que aceitar as coisas do jeito que elas são. Dez anos depois de entrar no INCA com meu filho, sou eu que entro agora. Nossos fantasmas têm que ser encarados de frente. Logo que entrei no corredor, foi como se ontem estivesse lá com Gabriel em meus braços. Parei, respirei fundo e disse: "Gabriel, eu vou vencer aqui, eu vou vencer." Não precisei fazer quimioterapia, foi descartado o implante e trato apenas com remédios orais. Vivo uma vida normal. Foi sofrido, mas sempre creditei minhas vitórias a Deus, ao poder divino.

Separamos uma Bíblia para esta entrevista, caso achássemos necessário a Cissa ler algumas passagens, mas acabamos não a usando na gravação, Fabiano a sabia de cor. Eu nunca li muito a Bíblia. Fiquei surpresa com a intimidade que ele tinha com ela. Ali, nos bastidores daquele encontro, acompanhando, ouvindo e sentindo, abri em uma página aleatória. Era uma passagem do rei Ezequias, em que narra o profeta Isaías entrando para conversar com ele e diz: "Arruma tua casa que tu vai morrer." O rei recebe a notícia e chora. Apoia-se na parede e ora e, antes de o profeta sair, Deus vem a ele e o manda falar de novo com Ezequias: "Deus viu compaixão na tua oração, viu fé, viu fidelidade na tua oração e tu vai viver mais quinze anos." Não era o momento de Fabiano, isso estava claro. Promessas de Deus para sua vida. Sou testemunha disso.

Sim, descobri com o meu próprio sofrimento a minha relação com o sagrado e a transformação de vida. Com a minha fé, tenho certeza de que a vida não foi feita para ser dramatizada. Toda vez que acontece algo que frustra os meus sonhos, tento sonhar dobrado, encontrar novos caminhos e readaptar sonhos antigos. Sinto que quando temos um foco, uma conexão com esse Deus maior, as coisas se encaixam. Tudo começa a dar certo novamente. Aceito as coisas como elas realmente são, porque creio em Deus. Temos que ter coragem. Muito obrigada por me mostrar esse caminho, Fabiano. Você nos mostrou que o simples é essencial; sua fé é natural, uma fé comum que tanto me transformou. Entrego, aceito, confio e agradeço. Essas sempre foram as palavras que, cada uma com seu brilho e valor, guiaram minha vida. Porém, sinto que só agora pude compreender seus reais significados e importância. Despeço-me com um abraço silencioso e completo.

À noite, antes do nosso próximo dia de gravação, fui dormir imaginando como seria o papo sobre a fé de um monge zen-budista e médico psiquiatra. Engraçado, quando a pesquisadora me mostrou o Alcio, eu sabia que o conhecia de algum lugar. Não conseguia dormir e resolvi pegar um dos meus livros sobre a história de Buda. Esse mundo encanta a mim e a minha fé. Lembrei! Fizemos doutorado juntos. Justamente, uma cadeira sobre individualidade e a relação dos indivíduos com o mundo que os cerca. Isso foi no começo de 2000. Desde aquele ano, minha vida já tinha dado várias guinadas. Dormi lembrando.

Acordei tão feliz com a locação que escolheram! A Tissa me colocou sentada em uma linda canga colorida nas areias de Ipanema. Acho que posso dizer que tivemos uma das luzes mais lindas do ano naquela gravação... Não estava nem muito sol, nem muito quente. Era dia 20. Todo dia 20 fico um pouco mexida porque lembro que o Rafa fez a passagem nesse mesmo dia. Arrisco dizer que ele estava nos conduzindo naquela gravação.

O encontro com o Alcio tinha outro tom para mim, pois meu pai, como já lhes contei, era budista. Alcio nos contaria de sua fé e de como ela o ajudou a superar um momento bem duro em sua vida: a morte de um ente querido. Meu pai faleceu havia exatamente dois anos e 25 dias daquele dia em que estávamos na praia de Ipanema para ouvir a história de um monge budista. Às vezes, quando percebo e leio os variados significados de uma situação, sou tomada por um senso prático e cortante que brota nos meus pensamentos. Agora foi um desses momentos. Vamos ao Alcio. Ação.

Alcio Braz, 55 anos, três casamentos e três filhas. Médico psiquiatra formado pela UFRJ, faz assistência a pacientes com cuidados paliativos no Hospital Federal da Lagoa e é monge zen-budista. Nascido no Rio de Janeiro, filho de mãe alagoana católica e pai português, umbandista. Diz que fé nunca foi algo contestável para a família, tinha grande intimidade com os caboclos incorporados por seu pai. Observei pelo seu jeito de contar isso que talvez seu pai fosse até mais carinhoso com ele quando incorporado. Aos 8 anos de idade, depois da sua primeira comunhão, começou a ter uma crise religiosa, pois gostava do relacionamento com os caboclos, gostava de rezar para Nossa Senhora, mas não se sentia tranquilo. Uma amiga o levou para a igreja presbiteriana, mas Alcio também não se encontrou. Ainda era uma criança e já tinha dúvidas sobre sua espiritualidade. Sou como meu pai, por isso me identifico: somos inquietos e angustiados, buscamos e tentamos nos encontrar a cada mudança de vida, a cada conquista, a cada dor.

Aos 12 anos, Alcio começou a frequentar o centro espírita da avó de um amigo e, mesmo tendo uma experiência pessoal de psicografia, aquele também ainda não era o seu lugar. Com 13, entrou para a Ordem Rosa Cruz.

Seus pais nunca se preocuparam muito com ele, pois sempre foi muito bom aluno e achavam que essa busca espiritual era até benéfica para seu amadurecimento. Contou-me que tinha o hábito de escrever diários sobre seus sonhos e medos, assim como eu. E, em um dos seus textos, encontra um de tornar-se monge e também, curiosamente, de tornar-se psiquiatra. Será que ali já era a vozinha da sua fé sussurrando em seu ouvido? Sentir e ouvir o que iria acontecer e assim ser guiado até a realização? Acredito que sim. Meus diários lidos e relidos agora pela Tissa tornam esse livro realidade. Nos meus diários escritos com palavras ainda imaturas e indecisas já estavam os primeiros traços dos meus principais sonhos. Mas aqui e agora o que vale são outros. Sonhos que não são meus, mas que me comovem e inspiram.

Quando Alcio estava no terceiro ano de medicina, sentiu que as coisas começaram a fazer sentido. Ainda com ânsia por respostas, motivado pelo impacto de assistir diariamente a pessoas sofrendo nos hospitais, tomou uma decisão que mudou sua vida. Resolveu fazer análise. Apaixonado pela ideia de ser clínico, durante suas sessões de terapia encantou-se tanto pelo trabalho da sua terapeuta (que faz questão de dizer ser a sua primeira mestra) que decidiu seguir o caminho da especialização em psiquiatria. Encontrou seu lugar profissional. Em seus estudos nos encontros da Ordem Rosa Cruz, conheceu um pouco sobre o budismo, sua cultura e conceito. E, com o estímulo da terapeuta, encorajou-se a explorar esse mundo novo e instigante. Mergulhou nos livros. Anos depois, já casado e com a sua família crescendo, lutou para conseguir uma bolsa de estudos no Japão e mergulhou na prática budista. Encontrou seu mundo espiritual. Alcio, no templo budista japonês, sentia-se como uma criança aprendendo a engatinhar, ou ainda, aprendendo a respirar. Sim, aquele era o seu lugar. Sua mente e coração confortaram-se.

Aqui e agora são referências importantes na sua e na minha profissão. O palco me exige uma presença para poder escutar o outro, para que a cena flua e eu possa sentir a plateia e devolver uma reação. No cara a cara das nossas gravações também, a escuta tem que ser inteira. Assim, não posso jamais ter a próxima pergunta em mente, pois talvez depois de poucos minutos ela já não seja necessária ou até tenha perdido o sentido. Preciso estar atenta aos mínimos detalhes no set de gravação. Como em uma orquestra, sinto-me o instrumento principal, todos os olhares se viram para mim, para que eu acerte o tom, sempre. Agora somos três na comunhão do aqui e agora, essa noção é simples, porém complexa e essencial na doutrina zen-budista. Alcio conta que essa foi a primeira lição que aprendeu quando chegou ao templo. Aprendeu literalmente na prática. Durante uma sessão de meditação, já incomodado de ficar tanto tempo parado, mexeu sua perna e levou uma pancada nas costas.

Levei um susto tão grande, que aquilo me trouxe para o presente. Foi como se eu tivesse chegado somente naquele instante ao Japão, como se até então tudo aquilo tivesse sido apenas um sonho ou brincadeira. E, junto com essa sensação, imediatamente minha fé mudou. Mas subitamente entendi que não posso mudar a realidade, preciso ter força para aceitar e entender o que está acontecendo em minha vida. O zen não reza para que alguma coisa aconteça, porém entra em contato com essa força harmonizada com a realidade, com o aqui e agora.

Alcio teve três mestres. O primeiro no Japão, o segundo nos Estados Unidos e o terceiro no Brasil. Com o terceiro, realizou os votos iniciais para depois fazer votos plenos a fim de tornar-se um monge zen-budista de fato.

Chamado de zen no mundo ocidental, trata-se de um dos oito caminhos de libertação ao qual Buda havia sido chamado, o da meditação. Alcio é muito envolvido com os conceitos de Buda e, dentro da sua escola, não crê que ele foi um Deus e sim, uma pessoa muito especial que deixou um legado importantíssimo para a humanidade. Acredita que tudo no universo esteja interligado. Não gosta de colocar o nome Deus como responsável por isso, para não associar a uma pessoa, e sim, a algo maior de que todos nós fazemos parte. E essa fé ele sente quando está praticando seu estado meditativo, de quietude, quando consegue deixar um pouco de lado o ego, o seu eu pequeno, para dar espaço para o eu maior, o eu universal.

Somos todos ondas que nascem, crescem, morrem e voltam para o oceano. Tenho o hábito de praticar a meditação diariamente. Quero que ela seja o perfume no meu corpo. Assim tenho a certeza de minha fé durante todo o meu dia. E isso a qualquer dia e a qualquer hora.

Acho linda a relação pessoal que existe na prática do zen. Às vezes sinto que sou discípula da Cissa.

Às vezes sinto que a Tissa é minha mestre. Como se ela me fizesse ser mais comprometida com a vida, para que eu consiga olhar em seus olhos sem medo e mostrar para ela minha evolução e conquistas. Ela me acompanha. Eu a sigo.

Carma para nós não é punição ou castigo, mas sim, a consequência de tudo que você faz nesta e nas outras vidas. Buda já dizia, quer saber como será seu futuro? Basta olhar o que você está fazendo no seu presente.

Alcio fala tudo com uma clareza incrível. Fujo um pouco do aqui e agora e vou para a lembrança de quando era pequena e amava ir às missas. Andava sozinha aos domingos pela rua Paissandu, onde nasci e fui criada, até a igreja da Santíssima Trindade, na rua Senador Vergueiro. Gostava do ritual de aliviar minha culpa no confessionário dos mesmos pecados de ter mentido, ou ter feito algo errado. Até hoje tenho uma imagem, que era de minha mãe, de Nossa Senhora da Conceição, a quem eu rezava muito nessa época. Voltava para casa imaginando que, pronto!, tudo estava bem de novo e meu futuro seria compensado.

Quanto a mim, volto a atenção e pensamento para Alcio, que dizia que nada é fixo, tudo é impermanente. O medo e a ansiedade são os estados psicológicos dominantes da mente humana. Por trás do medo há um constante anseio por certeza. Temos medo do desconhecido. Nossa vontade de obter confirmação tem raiz no medo da impermanência. O destemor aparece quando você consegue apreciar a incerteza, quando se tem fé na impossibilidade de as coisas permanecerem estáticas e constantes. Para Sidarta, o Buda, se não há impermanência, não há progresso, nem mudança para o melhor.

Quando meu pai descobriu sua doença, buscou respostas até encontrar o budismo, que o ajudou a aceitar a sua nova realidade e não se revoltar; quem se revoltou fui eu. Não estava com a fé ao meu lado, estava fraca, sem esperança, triste. Ricardo, meu pai, transformou sua realidade, mudando seu olhar para ela. Entendeu com a sua fé, que a mudança é inevitável e que a morte é apenas um componente desse ciclo. Deu-se conta de que não existia nenhum ser todo-poderoso capaz de reverter o caminho que nos leva à morte. Compreendeu que onde não há esperança cega também não existe decepção. Viveu plenamente aquela dura realidade, seu *dharma*, com a consciência de que tudo é impermanente, não se agarrou a nada. Difícil, mas inspirador. Quanta saudade. Só este ano, depois de algumas lições aprendidas no programa, que estou podendo abrir a minha ferida, fechada de qualquer maneira, prestes a suscitar mais dor a qualquer momento, a fim de costurá-la novamente. Percebo agora, há a possibilidade de um olhar fomentado pela fé.

Junto com um forte sopro do vento no meu rosto, naquele fim de tarde em Ipanema, escuto Alcio, que perdeu sua esposa vítima de câncer pouco tempo atrás. Seus olhos antes sorrindo se enchem de lágrimas. Ainda apaixonado por Márcia, me conta como foi colocar toda a sua crença em prática e, mais do que isso, exercer agora seu conhecimento técnico de médico psiquiatra especializado em acompanhamento de pacientes terminais.

Foi muito duro. Ela estava com apenas 52 anos, cheia de vida. Logo que voltamos de uma viagem a sós, Márcia decidiu fazer um exame de rotina, quando foi detectado um nódulo no pâncreas. Logo que me contou, já senti que iria perdê-la. Meu coração já sabia. Minha fé, que sempre esteve ao meu lado, também. Minha vida naquele momento mudou completamente. Estávamos casados havia sete anos. Era meu terceiro e, com certeza, último casamento. E, assim como eu, ela era psicanalista e budista. Não consegui controlar a raiva. Eu estava tão feliz. Por que isso agora? Resolvemos viver. Isso mesmo, Márcia decidiu que ia viver até o dia em que tivesse que morrer, não ia ficar chorando a morte antes de ela chegar. O budismo nos salvou. Praticamos muita meditação zazen, uma meditação em silêncio. Lemos muitos textos juntos, nos preparamos para a morte. Desde o diagnóstico até Márcia falecer foram nove meses. Operou, voltou a trabalhar, mas não pôde parar o tratamento. No final, ficamos juntos durante três semanas no hospital, período sofrido, mas muito especial e intenso. Aprendemos mais ainda a identificar o que vai acontecer com a gente quando morrermos. A visão vai diminuindo, a audição vai diminuindo e nossa percepção com o mundo espiritual vai aumentando. Vamos deixando tudo isso fluir, se desprendendo do corpo. Foi um período muito fértil, no qual muito escrevemos, anotamos e gravamos sensações, inspirações, desejos e esperanças. Nunca a vi tão linda. Definitivamente o amor da minha vida.

Sinto que minha voz agora vai falhar. Nessa hora, atrás da Cissa, um lindo pôr do sol sustenta e segura meu choro.

A experiência que passei com Márcia me ajuda hoje com meus pacientes. A fé, a entrega e a confiança foram essenciais naquele período. Foi o que me fez acordar e levantar todos os dias durante aqueles nove meses. É muito difícil trabalhar com pacientes que não têm fé. Essas pessoas estão sempre amarguradas com uma vida que depende muito dos resultados concretos, do material. Dependente do fator externo. Quem tem fé aprende a confiar na vida e no coração. Se acontece alguma coisa difícil, eu vou aprender com aquilo, crescer e seguir vivendo. A fé é uma ligação com o mistério, que não sabemos qual é, mas que está lá. E Buda dizia que isso não interessa muito. Se houver um além, ótimo, você vai estar preparado, mas se não houver, tudo bem, também, pois você viveu bem aqui.

Sinto isso muito intensamente quando estou ajudando alguém a morrer. Não é a questão de haver um além ou não, mas você sentir aquela coisa intuitiva, que tem um mistério, uma coisa na vida que te empurra pra frente. Eu sempre me sinto assim em relação à vida. Nem nos piores momentos pensei diferente, sentia que existiam em prol de algo maior e melhor.

A luz cai, tenho que cortar a entrevista. Faço um sinal com os olhos para Cissa, que abre o seu sorriso e se despede de Alcio com seu abraço.

De novo, o mistério. Sei que teremos algo muito maior do que nossa compreensão nos esperando. Aqui e agora já posso pensar que, da mesma forma como nascemos, podemos ser amparados na hora da nossa morte. Teremos esse mesmo acolhimento. Fim do dia. Fim do set. Fim do aqui e agora com Alcio.

Uma semana depois, outro dia de trabalho. Outro encontro.

Tenho seus livros e fui eu que o indiquei para estar no programa. Fiquei feliz quando a Tissa me contou que nós o gravaríamos. Ian Mecler é, com certeza, uma referência na doutrina da cabala. Sou muito curiosa e essa filosofia entrou na minha vida há muitos anos, antes mesmo de tornar-se comum ver em muitos pulsos a pulseirinha de lã vermelha. Sinal de que encontraram, assim como eu, muitas respostas para sua fé. Confesso que a prática não é simples, nos exige muita disciplina e autoconhecimento, mas ela me atraía.

Estava chovendo muito. Achei que não chegaria na hora. A equipe tinha ido à nossa frente. Trânsito, buzinas que, quando entrei em seu lugar de trabalho, foram completamente esquecidas para o mergulho absoluto em experiências e descobertas. Abro minha prancheta para anotações, respiro na esperança de, mais uma vez, ser surpreendida no encontro.

Ian Mecler, 45 anos, é carioca e diz não ser casado, mas que mora junto com sua "namorada" há vinte anos, com quem tem dois filhos. Há 24 anos é dono de uma empresa muito bem-sucedida de software para companhias de ônibus.

Judeu, porém, assim como seus pais, nunca praticou a religião. Desde pequeno, sua espiritualidade e fé eram fortes. Isso o levou a ter o hábito de rezar. Eu nunca soube, mas Ian tem experiências com fenômenos e vidências que marcaram sua infância.

Sofri demais por ter sido uma criança sensível, posso até dizer que minha mediunidade apareceu na escola. Eu chamava a atenção dos garotos por ser diferente e acabava ficando isolado. Hoje, agradeço por cada dificuldade que enfrentei naquela fase, e sei que, por trás de cada obstáculo, há uma grande Luz a ser revelada.

Sou guiado por uma força e jamais desistirei daquilo em que realmente acredito, na minha missão de levar Luz ao mundo e aos que me cercam. Com apenas 9 anos de idade, joguei na loteria com a certeza de que iria ganhar e ganhei. Eu simplesmente sabia, com a mesma certeza que tenho de não estar sozinho nunca. Quando estava com mais ou menos 15 anos, resolvi fazer um curso de meditação transcendental porque precisava de respostas. Procurei-as em diferentes religiões e filosofias, como Santo Daime, centros espíritas e até mesmo fiz cursos de astrologia. Todos esses caminhos, com um único propósito: me encontrar.

Quando começou a nos contar sobre uma passagem bastante marcante em sua vida, percebi que Ian e Cissa tinham uma ligação muito especial. Antes mesmo de ele terminar um raciocínio, sentia que ela já sabia aonde ele queria chegar e vice-versa. Foi como se eu pudesse enxergar em volta dos dois essa luz da qual ele nos contava. Não consegui entrar ali, fiquei mesmo de espectadora.

Quando, ainda adolescente, um amigo de seu pai estava no CTI do hospital, desenganado e sem saber ao certo o que fazer, Ian se aproximou, rezou ininterruptamente ao lado dele até o paciente conversar e levantar. Hoje sabe o que aconteceu naquele dia, uma reza de cura.

Aos 30 anos, eu já estava muito bem financeiramente. Minha empresa de software estava no auge, mas eu continuava insatisfeito com meu lado espiritual. Sentia um vazio gigante e apenas a informática na minha vida não estava me preenchendo mais. Talvez tenha sido culpa da "volta de saturno" – estudei sobre esse período na vida em que acontece um chamado para realizar novos planos ainda não realizados.

Nunca pensei em escrever um livro, mas, quando soube que estavam pensando em transformar o programa em um, agarrei esse desafio como uma leoa que abraça e defende seus filhotes na selva e me lembrei, novamente, de meu pai. Ele escrevia muito. Na minha casa guardo diversos de seus cadernos. Em um deles, achei uma frase que diz que toda pessoa deveria plantar uma árvore, escrever um livro e ter um filho. Acabo de chegar aos 40 anos. Tudo bem, no primeiro ano dos *enta*. Será que conta? E será que guardei esse desejo, reprimindo-o de alguma forma e, agora guiada por algo maior, o realizo? Ian sempre foi um cara de realizar seus sonhos.

Decidi colocar uma paixão em prática. Decidi lutar jiu-jitsu. Sou uma pessoa dedicada e comprometida, quando decido algo vou atrás e me especializo.

Pronto. Entendi. Os dois colocam foco naquilo que é construtivo. Cissa é assim: uma mulher realizadora. Os seus sonhos saem do papel.

Persisti muito, entrei com toda minha disciplina. Cheguei a lutar em vários campeonatos. Meu corpo, antes magrelo e frágil, ganhou dez quilos de massa muscular. Deixei de me sentir um "nerd da informática". Acho que carregava ainda alguns traumas por ter sido muitas vezes vítima dos mais fortes na escola. Senti-me um vencedor. Lutei até os 35 anos mas, quando estava na faixa marrom, descobri que minha saúde não estava muito boa. Eu havia exigido demais dela e fui obrigado a parar. Nessa mesma época, um xamã da Sibéria me disse que eu tinha um importante chamado espiritual e que eu precisava me dedicar àquela missão; caso contrário, algo de muito ruim aconteceria comigo. Fiquei assustado, pois vi verdade naquelas palavras. Então pensei: estou no único momento da minha vida em que posso me deixar ir e arriscar. Minha empresa está caminhando muito bem sozinha, posso investir nesta nova fase. Resolvi atuar como médium em centros espíritas e em grupos xamãs até conhecer a cabala. Algo forte me tocou. Ali estava meu chamado, minha missão. Dediquei-me totalmente a essa doutrina. Tudo foi muito, muito rápido. Hoje tenho certeza de que a cabala foi um resgate de outra vida. Em poucos anos, já estava com um grupo de alunos para esclarecimentos sobre a doutrina e pude também publicar meu primeiro livro.

Mais uma vez ouvimos sobre a importância do aqui e agora. Com seu jeito de professor, bastante didático, nos convence de que não adianta pensar e nos preocupar com o amanhã, devemos agradecer o ar que respiramos diariamente. Se tivesse ouvido falar nisso em outro momento da minha vida talvez não fizesse tanto sentido como agora. Outro importante ensinamento da cabala é o de controlar o nosso ego, ter a consciência de que grande mesmo é o divino, de quanto somos pequenos em comparação a Ele e devemos nos dedicar a viver da melhor forma. Jesus é um grande exemplo para ele, porque foi alguém que soube perdoar, agradecer e viver sem ego. Seu caminho de fé é dominar o medo, ter autocontrole. Praticar e repetir. Ter disciplina é fundamental e Ian sabe disso pois viveu e vive exatamente assim sua vida, aprimorando tudo o que aprendeu, para escolher e ter um caminho.

No final do nosso encontro, conta uma história sobre uma gata que teve com 20 anos. Na hora, imaginei que essa história pudesse ficar apenas nos bastidores, mas, ao ver a intensidade em seu olhar quando disse seu nome, não cortei as câmeras. Miau apareceu logo antes, em um sonho.

Uma linda gatinha branca aparecia sem explicações na porta da minha casa. Ainda bem que contei para um amigo antes de ela realmente aparecer, senão achariam que esse sonho não aconteceu. Dois dias depois desse sonho, abri a porta da minha casa e lá estava ela, sozinha em uma caixinha. Viveu comigo muitos anos, fazia parte da minha família. Quando Miau estava com 15 anos, teve um problema sério de saúde e, nessa época, eu já estava bastante envolvido com a cabala, me especializando com técnicas de cura com águas e ervas. Passei então a fazer orações, focar energias de cura. Miau foi melhorando, um mês depois estava muito bem. Fez a passagem apenas aos 21 anos de idade. Sofro muito, até hoje, com a sua morte.

Ian pratica muitos rituais com água, curando doenças em pessoas e animais. Diz que nem sempre a água é milagrosa, e que o que influencia a cura, como foi no caso de sua gata, é encontrar o médico certo para ela. Isso abre as energias e ele acaba não se sentindo poderoso, apenas um canal de Deus. Quando não consegue curar a pessoa, cuida para que a sua passagem seja boa. Relevante dizer que a fé para ele não deve estar associada à cura necessariamente, já que nem sempre isso acontece e não se pode ter fé apenas nessas horas, pois ela é uma conduta de vida. Fé na vida, fé depois da vida, fé na passagem, na possível cura, no momento.

Corto a gravação. Percebo que continuam todos ainda sentados, como se estivéssemos em uma sala de aula aguardando respeitosamente o professor se levantar. Já sem as câmeras como testemunhas, Ian fala sobre as pessoas que estão "mortas em vida", que reclamam de problemas pequenos, que falam mal dos outros. São pessoas deprimidas, mas acredito que possam se transformar por meio da fé e viver uma vida de verdade. Saímos todos de lá com essa missão, ou, melhor dizendo, com essa renovação.

FÉ NA MISSÃO:

UMA VIDA ENTRE NOSSA SENHORA, SANTOS, ANJOS E ARCANJOS

Pedro Siqueira

Toda última terça-feira de cada mês, ao voltar para casa no início da noite, eu via uma verdadeira multidão ao redor da principal igreja do meu bairro, a Nossa Senhora da Conceição. Igreja construída pelos franceses – os primeiros a ocuparem a região – em 1852 e que leva o nome da santa padroeira do bairro e fica bem na rua principal. Não dá para chegar em casa sem passar por ela. Para quem não conhece, a Gávea é um bairro pequeno na zona sul do Rio de Janeiro que fica entre a Lagoa e as montanhas, e que ainda conserva um clima meio romântico de bairro onde se conhecem os vizinhos, o jornaleiro, o chaveiro da esquina, os moradores de rua, o moço da lavanderia, da vidraçaria, os garçons etc. Moro lá desde que saí da casa dos meus pais, mas antes disso já frequentava muito o bairro pois meu colégio e minha faculdade eram lá. A Gávea sempre foi a minha casa, então, qualquer movimento estranho nas redondezas, eu percebia facilmente. Aquela multidão em frente à igreja que se reunia pelo menos uma vez por mês me intrigava muito mas, como sempre estava apressada para chegar em casa, nunca me dei ao trabalho de parar, perguntar e matar minha curiosidade a respeito. Até que um dia, logo no início das gravações do programa, a Cissa insistiu em que eu fosse com ela rezar um terço com um rapaz que não era padre mas que comandava reuniões mensais para se orar um terço completo com todos os seus mistérios. Pelo que ela me descreveu, parecia algo muito forte e que fazia muito bem. Gostei da ideia. Aceitei o convite sem perguntar mais nada a respeito. Nem onde era.

Era a última terça-feira do mês de janeiro de 2012, gravamos durante toda a tarde e, quando acabou o set, fomos juntas para o terço do Pedro. Quer dizer, fomos nos juntar àquela multidão que sempre me despertara curiosidade e pela qual eu passava sem nunca parar. Foi nesse dia que, finalmente, deparei com a multidão na igreja perto de casa, que conheci uma das histórias de fé mais inusitadas e surpreendentes do programa.

Insisti em que a Tissa fosse no terço porque ela me dizia não se lembrar de como se rezava um. Já eu rezo terço desde criança, aprendi com minha avó. Rezar um terço foi um hábito que adquiri e que sempre me ajudou em meus momentos de aperto e inquietação. Mas minha intenção era também mostrar a ela o terço do Pedro. Um terço, eu diria, mágico e de muita força, que eu havia conhecido pouco tempo antes. Na única vez que fui tive uma experiência de fé muito profunda da qual queria, também, compartilhar.

O Pedro é um rapaz carioca de 40 anos, casado, pai de um filho, formado em direito.

Escolhi ser advogado creio que pelo fato de meu pai ter sido um, acho que eu queria entender como funcionavam as coisas das leis, da sociedade, governo... Achei que era um bom conhecimento de se ter, já que era imperativo para minha família cursar a faculdade, pensei que fosse mais produtivo. Meu pai é advogado até hoje, vai morrer advogando e vai estar lá no escritório dele com 100 anos. Mas eu não. O direito não é a minha verdadeira vocação. Vocação eu sinto é pelo mundo espiritual. Direito para mim é trabalho com o qual sustento minha família. Minha verdadeira vocação, o que eu vou fazer até o fim da vida, é a oração e a espiritualidade. Do direito eu vou me aposentar.

É essa vocação pelo mundo espiritual que faz do Pedro, e do terço que ele reza, algo realmente especial. Desde criança começou a mostrar que tinha uma conexão muito forte e específica com o mundo de lá, invisível e misterioso.

Eu gostava de ver o que via, gostava dessa energia que sentia diante da presença de Deus, das cores do que via, dos anjos... Eu achava que era um privilégio, até mesmo saber, de certa forma, o que ia acontecer em algumas ocasiões. Depois você cresce e vê que a coisa é mais complexa do que isso. Mas quando se é criança as coisas são mais lúdicas. Minha mãe dizia que, quando bebê, eu passava noites inteiras chorando muito com medo de algumas coisas. Aí eu comecei a falar e a contar que via algumas criaturas. Tive medo como toda criança, mas depois eu tive confiança e achei que não ia me machucar. Porque eu também via outras coisas ao meu redor que eu sentia que me protegiam. Lembro-me de ver o anjo, eu sabia diferenciá-lo das outras criaturas e espíritos que via. Criança não sabe distinguir quem é santo e quem é pessoa falecida. Mas o anjo, sim, eu sabia distinguir do resto. E sabia distinguir essas criaturas demoníacas, digamos assim, que me davam medo. Quando criança acontecia basicamente isso mas, como ninguém da família nunca me tratou diferente, sempre achei que estava tudo certo. Tudo certo até o momento em que os pais começaram a pedir: "Garoto, não fala isso para fulano, não fala da vida de não sei quem, não diz que você está vendo isso do lado de não sei quem." Aí você vê que há alguma coisa errada. Aí também tiveram vontade de entender mais sobre isso tudo. Eles foram investigar, fui a psicólogo, neurologista e tudo.

Assustados com o que ainda não entendiam como sendo um dom do filho, os pais de Pedro investigaram por todos os meios racionais e doutos o que acontecia com ele. Tentaram de tudo mas nunca obtiveram nenhum diagnóstico médico que indicasse que Pedro tinha algum tipo de doença, síndrome ou distúrbio.

Eles me levaram a todos os lugares. Era um saco. Até que um neurologista disse para minha mãe que não era nada, aí me livrei quando tinha uns 7 anos; me livrei mas pensei: "É melhor ficar calado." Não me calava totalmente porque meu avô materno tinha essas coisas também. A irmã dele, minha tia-avó, também tinha. Ela era uma criatura fantástica, bastava chegar perto de mim que começava a ver coisas, e então começava a emendar um assunto ao outro. Como era da família, o pessoal respeitava e não falava nada. Com eles, na casa do meu avô, eu podia conversar. Casa dele, regras dele. Ali era tranquilo. Então isso nunca morreu porque tinha essa coisa trabalhada com meus parentes. Foi me dando mais confiança de falar porque eu não era o único. Claro que não funcionava para os outros da mesma forma que para mim, mas entendia que havia uma similaridade. Havia algo ali que me remetia ao que eu vivia, sentia uma certa paz. Eu sabia que não era maluco, nem nada disso, mas tinha aquela preocupação. O que eu sou? O adolescente tem essa preocupação. Onde eu me encaixo na sociedade? Onde vou ser aceito? Eu escolhi ser um adolescente completamente normal, calar a minha boca e aceitar ser o que é para ser. Eu gostava de futebol, de nadar, de competir... Gostava disso tudo. Por volta dos 16 anos, senti algo estranho... Era o mundo espiritual me puxando com muita força. Ele te chama, o mundo espiritual começa a falar "Vem cá". Aí foi complicado. Então, por livre e espontânea vontade, resolvi ler, estudar e mergulhar nisso, para saber o que fazer, o que queriam de mim, o que há de diferente das outras pessoas, e comecei a ver as possibilidades.

Pedro realmente mergulhou de cabeça, e aquela igreja a que Cissa me levou era o resultado cabal disso. Quando chegamos lá foi difícil conseguir passar entre as pessoas e achar um lugar para ficarmos. Nossa sorte foi que a Clara já estava lá e, quando soube que iríamos, guardou dois lugares ao seu lado. Só essa chegada já foi uma experiência marcante pela quantidade de pessoas e variedade delas. Tinha gente de tudo quanto é tipo, não estou exagerando. Entre todas aquelas pessoas, podíamos visualizar diversos grupos. Tinha o grupo dos mais velhos, dos mais jovens, das mulheres de meia-idade, dos casais, dos colegas de trabalho, das amigas de infância, dos vizinhos do bairro, dos vindos de outros cantos do Brasil. Uma diversidade assustadora. Uma multiplicidade encantadora.

A Tissa não tinha terço na bolsa. Eu já imaginava e por isso havia levado dois. Gosto muito de rituais e tenho a capacidade de juntar corpo e mente nessas ocasiões. Sempre que tenho a chance de participar de um ritual me coloco no aqui e agora. Estar no terço sem terço jamais seria possível para mim. Entreguei-lhe o terço e na hora percebi que ela tinha em suas mãos um mala budista que tinha sido do Ricardo. Ao receber o terço, ela enroscou o mala no pulso como uma pulseira. Meu ato teve significado.

Alguns minutos passaram, começo a escutar uma amplificada voz vindo de trás dando boa-noite e nos pedindo para contemplar de espírito presente a grande imagem de Nossa Senhora presa à parede no fundo do altar. Antes de contemplá-la, olho para trás em busca do dono daquela voz e vejo lá atrás no mezanino onde costumam ficar os músicos, um cara jovem, de pele bem branca, estatura mediana, corpo tratado e olhos brilhantes. Levei um susto. Volto meu rosto rapidamente e encontro o olhar da Cissa.

Tinha certeza de que a primeira reação dela seria essa. Eu também me surpreendi na primeira vez que vi Pedro com sua aparência tão comum e tão próxima. Olhando para ele, ninguém poderia julgar que aquele homem ali trazia consigo o dom de se comunicar com santos, anjos, arcanjos, espíritos dos que daqui já se foram com Nossa Senhora, a Mãe de todos. Meu olhar para Tissa foi de compreensão e afirmação.

Não deu tempo de tecer nenhum comentário. Ele continuava a falar mais e mais. Quem mais estava conosco ali. Naquela noite ele via São Francisco de Assis, São Miguel Arcanjo e mais alguns anjos que descreve, mas não nomeia.

Focada naquele momento, não vejo mais ela. Mas aqui dentro conseguia imaginar como ela devia estar estranhando aquilo tudo. Confiei em sua sensibilidade e sabia que não se deixaria acorrentar pelo estranhamento. Aliás, somos parecidas nisso: não nos deixamos acorrentar. Pedro também se sentiu acorrentado quando teve que ficar em silêncio pelo estranhamento que o seu dom causava nos outros. O tempo passou e o dom, com sua força, rompeu todas as correntes. Falar o que via e ouvia e não guardar todas aquelas mensagens para si era o único caminho para Pedro ser realmente o que era. O Pedro como ele entendia a si próprio não existiria sem o dom de ver e ouvir Nossa Senhora, alguns santos, anjos, espíritos...

Primeiro houve esse momento da adolescência em que tentei me entender, fui pesquisar, estudar o que sentia, via, como, onde, o que isso fazia no meu corpo, na minha mente... Encontrei outras formas de explicar isso, então estudei diversas religiões, li sobre tudo. Acho que a pessoa precisa conhecer de tudo para ter uma opinião. Era algo que herdei do meu pai, que era advogado. Não adianta você querer julgar algo por uma opinião só, você tem que conhecer os outros lados, sem preconceito. Li muita coisa, e isso causava um desconforto muito grande em minha mãe, que achava o fim da picada eu ler sobre aquilo. Ela era contra, achava que eu estava desvirtuando a fé católica da família inteira, mas eu precisava pesquisar e entender do que se tratava para fazer minha opção. Era o tipo da coisa que eu defenderia até o fim, mesmo se me ameaçassem queimar na fogueira. Eu ficava muito tranquilo, não precisava discutir nem brigar. Sabia o que queria e o que precisava fazer. Aos 22 anos resolvi colocar isso a favor das pessoas, basicamente daquela forma que você viu lá no terço. Eu achava que o terço era uma forma de a pessoa ter um olhar meditativo e uma vida espiritual profunda. Porque o terço é – que os fundamentalistas católicos não me levem a mal – uma espécie de "mantra", aquilo leva a sua mente a certo nível de vibração que você mergulha dentro do seu coração e seu espírito, numa paz... É nessa hora que Deus fala com você. E daqui a pouco aquela presença de Deus fica grande. É como se o próprio Jesus estivesse sentado ali contigo, junto com Maria e os anjos. É nessa hora que as coisas acontecem; se você não acessa esse estado, não vai ter essa intimidade com Deus. Escolhi o terço por isso, experimentando essas devoções todas percebi que aquilo ali me levava longe, ao mundo espiritual, com tanta facilidade...

Eu fiz primeira comunhão. O único terço que ganhei na vida foi de minha avó Maria, naquela ocasião. Um terço lindo de contas de cristal e crucifixo de prata. Até hoje tenho ele comigo. Mas, até aquele dia em que fui ao terço do Pedro com a Cissa, nunca tinha rezado um terço. O meu terço era um objeto cheio de beleza e valor afetivo, mas não um instrumento ritual de conexão com Deus pela minha fé.

Adoro terços. Tenho vários. Um deles ganhei de uma desconhecida que o fez chegar até mim com um singelo e simpático cartão no momento em que mais precisei me agarrar a um. É um terço com pequenas contas vermelhas em forma de coração. A cada mistério dez corações. O terço do Pedro toca fundo o meu coração. Quando ele resolveu começar a reunir pessoas para rezarem um terço juntas, a fim de compartilhar o seu dom, recebeu uma importante mensagem de uma senhora que conhecia e que, assim como ele, também tinha a capacidade de ver e ouvir.

Ela tinha essas visões fantásticas, um dom incrível, e falou pra mim: "Quando você for conduzir a oração, Nossa

Senhora pede que coloque o terço no centro da reunião", isso sem ela saber dessa confusão, desse conflito dentro de mim. Era tudo que eu precisava ouvir. Acrescentou: "E dê os recados Dela." Aí, olhei para a cara dela, estava tranquila. Pensei o quanto era bom ter alguém que via Nossa Senhora e me falava alguma coisa. Mesmo sem vê-La, eu já sentia Sua presença e aquela voz já falava comigo às vezes. Eu sabia que era Nossa Senhora. Fiquei em dúvida... Tomava coragem ou não? Eu confiava muito nessa senhora, pois era impecável no que dizia. Suas visões eram perfeitas, carregadas de uma carga psicológica profunda. Era uma confirmação. Ela contou: "Vejo uma multidão indo atrás de você com o terço na mão, vá!" Eu era moleque, tinha 22 anos. Começou com um grupo pequeno, só de jovens, na sala da casa de minha mãe. Iniciamos de forma meio atrapalhada porque minha irmã, que coordenava o grupo de oração, não tinha o terço. Só que naquele dia ela pediu para eu tocar, pois estava muito cansada, estudava medicina. Eu tocava violão no grupo de oração, as mesmas músicas da minha banda no colégio. Até que, pouco tempo depois, ela falou que não dava mais, pois tinha que fazer estágio, que a faculdade de medicina estava pesada... Pediu para eu coordenar. E eu já tinha recebido a mensagem da tal senhora. Aceitei e falei que ia fazer do meu jeito. Comecei a introduzir o terço no grupo de oração. A senhora me dizia que eu deveria falar o que via e não me importar com o que iam achar de mim, me focando só em meu compromisso com Nossa Senhora, com Jesus, com os anjos. Pensei que, durante o terço, era só ir falando, o problema é que na semana seguinte juntou a maior galera. Começaram a dizer que havia um cara que falava da vida das pessoas e mandava recado; as coisas aconteceram. Aí, quando minha mãe foi ver, havia uma multidão na sala dela. O que vamos fazer com tanta gente? Ela não podia dar bronca porque tudo que ela queria era me ver com um terço na mão rezando. Ela tinha o maior respeito pela Zitinha, a tal senhora, e o que ela falava era lei. Ela sabia que tinha sido ela quem tinha dito. A Zitinha falou um monte de profecias para ela que acertou. Essas profecias eu não falo. Ela voltou com aquela coisa de mãe: solto ou não? Fomos conversar com o pároco da Santa Mônica, já que cuidaram de mim desde pequeno pois sempre estudei no colégio da qual a igreja também fazia parte, o colégio Santo Agostinho. Nessa época, eu já tocava na missa do pároco, o frei Antônio Moreno.

A mãe de Pedro depois que reconheceu, confirmou e aceitou o dom do filho, o levou até a igreja que costumavam frequentar. Esse seu ato foi crucial para tudo o que veio a acontecer depois com ele. Assim como foi crucial o pároco dessa mesma igreja abrir as portas para receber e acolher Pedro, o terço e o dom.

Fomos conversar com ele. Estava aflito de como poderíamos falar as coisas. E como vamos explicar essa coisa de dom? O grupo não cabe lá em casa porque dou umas mensagens baseadas nos dons do Espírito. Preciso que o senhor acolha o grupo aqui. Enfim, tomei coragem. Falei. Ele escutou tudo calado e, no fim, perguntou se no segundo andar estava bom para a gente. "O senhor vai me dar uma sala?", perguntei espantado e ele, sem se alterar, respondeu: "Vou, vamos lá agora ver." Foi e mostrou a sala. Insisti: "O senhor entendeu o que eu falei?", e ele de novo sem se alterar disse: "Sim, entendi. Então semana que vem vai ser aqui." E foi. Ele viu que ficou lotada e falou que não tinha nada de mais. A sala foi lotando cada vez mais até que ele mesmo tomou a providência de dizer que não dava mais para ser lá, porque era muito desconfortável para as pessoas, estava vendo que havia senhoras. Então, disse: "Vou levar para o salão paroquial que é maior." Lotou também. "Somos mais ou menos umas 500 pessoas, vamos levar para a nave da igreja", ele disse de novo e eu, ainda surpreso: "Não tem problema?", ao que respondeu: "Não, porque a última missa vai ser às seis e meia da tarde, quando acabar entra o terço, tem o pessoal que te dá apoio, usa o violão da igreja, o teclado da igreja, do que você precisar." E assim foi, mantivemos uma média de 550 a 600 pessoas. Ficava todo mundo sentado e ele gostava do respeito à oração. Era um silêncio, as pessoas meditando; aquilo o encantava: elas iam para rezar. Ele percebeu e tudo isso começou a gerar frutos, pessoas que haviam deixado a igreja voltaram a frequentar, iam à missa dele. Sua última missa ficava lotada por conta do terço. Ele viu os frutos daquilo e aprovava.

O terço já era um sucesso e juntava muitas pessoas. Uma jornalista procurou Pedro, interessada por aquele "fenômeno" e querendo fazer uma reportagem especial para a revista dominical de um famoso jornal carioca. Pedro hesitou. Pensou. Respondeu que primeiro ela deveria falar com o pároco da igreja e, se ele autorizasse, poderiam fazer a reportagem. O pároco concordou. Pouco tempo depois, num domingo, Pedro, seu terço e seus mistérios estavam estampados em cinco páginas da revista. Na semana seguinte, na igreja Santa Mônica, no Leblon, havia uma multidão quase igual àquela a que nos juntamos dois anos depois, na Gávea.

Logo em seguida da reportagem havia umas duas mil pessoas para o terço, e os frades mais velhos lá da Santa Mônica ficaram bastante preocupados. E todo terço virou um tumulto. No final, culminou com a saída da Santa Mônica. Os frades agostinianos responsáveis pela igreja e pelo colégio em que estudei a vida toda não quiseram mais que o terço fosse lá. Fiquei desalojado devido ao tamanho do problema que eu causava.

Na igreja da Gávea, assim que acabou de descrever todos os seres do outro mundo que estavam presentes ali conosco, Pedro começou as orações do terço. A primeira oração daquela noite me pegou logo de cara: o Credo, minha oração preferida. A mesma que entoei com minhas irmãs, minha mãe e meu pai de mãos dadas poucas horas antes de ele ir para sua última cirurgia. A última e desesperada tentativa de driblar a "Irmã Morte", a que cumpriu a vontade de Deus. "Creio em Deus Pai Todo-Poderoso, criador do céu e da Terra, e em Jesus Cristo, seu único filho, nosso Senhor... Creio na comunhão dos santos, na remissão dos pecados, na ressurreição da carne, na vida eterna. Amém." Creio que eu entoava essa oração agarrada ao terço da Cissa, naquela terça à noite, na igreja do meu bairro, com muito mais propriedade. Com muito mais consciência do que significava ter fé.

Rezar um terço sempre me trouxe paz. Mesmo nas horas que a paz parecia impossível. Rezar junto com o Pedro e todas aquelas pessoas trazia outras coisas além de paz. É difícil descrever a sensação, achar palavras que possam alcançá-la. Só posso dizer que é algo mágico. Toda vez que vou à igreja nesse terço me sinto transformada. O terço do Pedro é realmente uma questão de fé: ou você acredita e sente, ou... não fará sentido, nem criará significados para você.

O requisito para ir lá rezar o terço é um só: fé em Deus. Não quero saber qual é a sua fé ou se você tem fé. Vem rezar comigo. Nossa Senhora vai te fazer um carinho que você nunca mais vai esquecer. Não é verdade? Não é pessoal? Você não sente a presença?

Em silêncio e falando com os olhos, Cissa balança a cabeça, concordando com ele.

De rabo de olho, vejo a Tissa focada no monitor e dizendo que sim com a cabeça.

Não há uma pessoa que vá lá para rezar que não sinta aquela presença. Então é isso. Encaro isso como uma missão, é uma coisa relevante que acho que fui destinado a fazer aqui na Terra. Penso que gostaria de fazer mais, mas sei que não posso forçar muito o passo com o que se deve avançar, porque poderia causar um rompimento e a coisa se perder. Tenho que levar em consideração a estrutura da Igreja Católica, outras religiões que nos cercam, a gente gosta de conversar com essas religiões. Tenho que levar em consideração que Nossa Senhora faz as aparições dentro da Igreja Católica, mas que é mãe de todo mundo e quer todos os filhos, todos. Meu maior orgulho é que dentro do grupo há budistas, espíritas, protestantes, católicos, muçulmanos etc. Nossa Senhora é uma mãe universal, Ela nunca chegou e nunca vai chegar e dizer: "Quero os meus filhos que foram batizados, quero meus filhos que são católicos apostólicos romanos." Ela chega para mim com uma tarefa: "busca os meus filhos". "Quem são seus filhos?" "Todo ser humano. Todo ser humano que vem ao mundo, eu quero eles" – é o que ela me diz.

Existem espíritas, protestantes, budistas que me dizem que estão ali por Nossa Senhora. Isso para mim é uma maravilha, mas para algumas pessoas isso é um pecado grave e falam mal de mim, dizendo que desvirtuo a fé.

Ele não desvirtua a fé, ao contrário, a traz para mais perto. Eu estava tentando rezar aquele terço pensando em meus dois filhos, Marina e Luca, e em minha mãe, Priscilla. Não conseguia. Concentrava-me neles e era interrompida por um pensamento, uma sensação, uma voz aqui de dentro. Toda hora vinha à minha mente a imagem de uma pessoa muito importante na minha vida cuidando de alguém de sua família. Eu não sabia o porquê desse pensamento. Que aflição. Eu me debati até o fim dos mistérios gloriosos, o primeiro mistério, com a minha intenção naquele terço.Fiquei inquieta e transpareci. De repente, sem que eu saiba de onde nem como, um padre atravessa parte da multidão, chega bem perto de mim e sussurra aos meus ouvidos: "Ore para aqueles que seu coração mandar." Assustei-me. Aceitei e obedeci. Rezei todos os outros mistérios na intenção de quem pedia meu coração.

A primeira vez que fui ao terço, não estava apenas focada em alcançar aquele meu estado único e mágico de paz. A primeira vez que fui ao terço, estava com a esperança de receber uma das mensagens dele no final. Assim que acabam todas as Ave-Marias, Pedro recebe e passa adiante mensagens de Nossa Senhora. Não são mensagens genéricas. São destinadas a determinadas pessoas. Ele cita nomes e às vezes até sobrenomes. É inacreditável a forma precisa e corriqueira destas mensagens. Parecem recados, avisos. São recados, avisos.

Quando dou as mensagens do tipo "fulano que está na UTI vai ficar bom", tenho certeza de que tem gente que fica extremamente incomodada e duvida. Dá impressão de que devem pensar: "Esse sujeito é maluco! Como fala uma coisa assim?" Mas falo só o que escuto e que tenho certeza de ter escutado. É diferente de eu tentar dar uma mensagem aqui. Lá na hora, parece que sou tomado por essa força, essa energia, eu sinto uma confiança naquilo que sai da minha boca e isso me dá tranquilidade. Não tenho o menor medo, e tenho muita certeza de que vai acontecer aquilo que estou falando. É claro que nem todo mundo vai ser curado, nem todo mundo vai receber uma mensagem, nem toda situação vai se resolver. Muita coisa na minha vida não se resolveu até agora. Estou como todo mundo lá, de joelhinho, rezando. Essa é nossa obrigação de acreditar e pedir. A oração é poderosa, mas tem gente que quer receber e não quer pedir nada. Pedir é se concentrar, sentir a presença de Deus, pegar o terço e sentir o terço respirar, chamar teu anjo e pedir pra ele te ajudar... Chamar Nossa Senhora... E o terço é para a oração, pede para o teu filho. Na vida tem que ter vontade. Eu sofro, todo mundo sofre. Tenha vontade, tenha gana. São Paulo disse: "A coroa de louro para os vencedores é para aqueles que combateram o bom combate." Combateram, não foi entregue de mão beijada. Bola para frente e vá ver qual é! A vida é para isso. Para sofrermos, para sermos felizes, para rirmos, para chorarmos. São Paulo disse: "Eu sei viver na alegria, na tristeza, na pobreza e na riqueza." Essa é a lição.

Não sabia nada sobre aquelas mensagens. Novamente estranhei. Ele dava nome, sobrenome e falava tudo o que Nossa Senhora lhe mandou dizer. Naquele momento não me contive e confesso que, tomada pela dúvida, fiquei olhando ao redor procurando entre os rostos dos ali presentes alguém que demonstrasse pela expressão, corpo ou olhar, que tinha recebido alguma daquelas mensagens. Foi impressionante. Dezenas de pessoas se manifestavam pelos olhares, sorrisos, lágrimas, abraços... Até hoje não consigo entender como isso se faz possível.

Nunca duvidei das mensagens do Pedro. Ainda não recebi nenhuma, mas não perco a esperança. Uma coisa que sempre me deixou curiosa em saber era como ele se sentia sendo desse jeito, tendo todas essas conexões. Como seria ser Pedro? Como ele sentia isso no corpo? Será que ele via tudo o tempo todo?

Tenho controle sobre a abertura das visões, senão a minha vida ia ser ruim. Eu precisei aprender a abrir e a fechar as visões. Sinceramente, faço o terço pela missão, porque meu corpo inteiro dói muito, sempre, a energia toda do terço entra e sai por mim, eu sou receptor. Então durante todo o terço eu sofro demais, é muita dor, no dia seguinte é exaustão, uma coisa que tem valor espiritual para mim. Uma vez em que estava muito doente e tive dor na garganta, pensei em não ir. Na época ainda era no Leblon, pensei em ligar pra lá e avisar que eu não ia. No que falei isso o anjo apareceu e falou: "Se veste e vai." E eu falei para ele: "E vão ouvir o quê?" "Cumpre a sua missão. Se veste e vai." Falei para minha mulher para irmos ao terço e que Deus ia ter que me socorrer. "Alguma coisa há de acontecer", ela falou, "vai e qualquer coisa Deus vai mandar alguém para te ajudar". Entrou um jovem de batina e ficou me olhando e falou: "Pedro você não me conhece, mas já me deu uma mensagem." Perguntei como foi e ele me contou a história de que estava estudando na Espanha para ser padre, ficou muito doente e a ordenação passou. Ele não pôde participar e isso tinha que ser feito por um bispo. Chegou dezembro e ele tinha um tempo para ficar, ou ia perder tudo que havia estudado antes de voltar para o Brasil. Aí a Nossa Senhora falou através de mim a coisa mais improvável do mundo, ela disse que o bispo ia passar por lá só para ordená-lo. A mãe dele, muito católica, estava no terço. Eu falei: "Seu filho Marcos está estudando na Espanha", dei a situação toda, "vai acontecer uma coisa em dezembro, ele vai se ordenar". Aí é que vem a fé da pessoa, ele disse que a mãe chegou em casa e ligou na hora para ele. "Vai dar certo, vai ser." Isso é fé, é acreditar no mais improvável possível, ela acreditou e aconteceu. E ele é um padre hoje! E é doutor em teologia, doutor em relações internacionais, Padre Marcos Vinícius, agora está em Nova Friburgo. Nesse dia ele falou: "Você pode falar o quê?" Eu respondi: "Mal e porcamente dez mensagens." "Deixa comigo, eu vou fazer o terço com você." E ele fez um terço maravilhoso, falou coisas belíssimas.

Esse é o Pedro. No fim daquela noite de terça-feira, na igreja Nossa Senhora da Conceição do bairro onde eu e Tissa moramos, convidei-o para participar do programa. Ele aceitou de imediato e pediu que nosso encontro fosse no Jardim Botânico, um dos parques mais lindos aqui do Rio e onde adoro caminhar. Pouco menos de um mês depois nos reencontramos lá. Era uma manhã de verão. Conversamos muito. Conversamos abertamente sobre o seu dom. Conversamos respeitosamente sobre os seus mistérios. No final, ele pediu um papel e uma caneta. Foi escrevendo, rasgando pedaços e entregando para alguns ali presentes.

Recebi, logo depois da Cissa, um pedaço de papel com um nome escrito. Depois a Fê, assistente de direção, recebeu o dela e imediatamente começou a chorar. Ela reconheceu aquele nome. Quando pequena, lá em Vila Velha, no Espírito Santo, uma senhora que trabalhava para sua família a havia ensinado a rezar para esse nome, dizendo que ele a iria proteger por toda a vida e estaria sempre ao seu lado. Anos depois, no final daquele set ela recebe pelas mãos de Pedro a confirmação de que aquele nome não era um personagem folclórico ou fictício de sua infância. Aquele era o nome de seu Anjo da Guarda. Ele só anotou o nome dos anjos que viu estarem ali presentes durante a gravação. O meu e o da Cissa também estavam. Guardo o meu papel até hoje e todos os dias antes de dormir rezo "Santo Anjo do Senhor", oração que aprendi com minha avó Maria, falando o nome dele. Falando o nome do meu Anjo da Guarda. Pedro nos orientou a não contar esse nome para ninguém e assim continuo a guardá-lo em segredo. A Cissa e a Fê também.

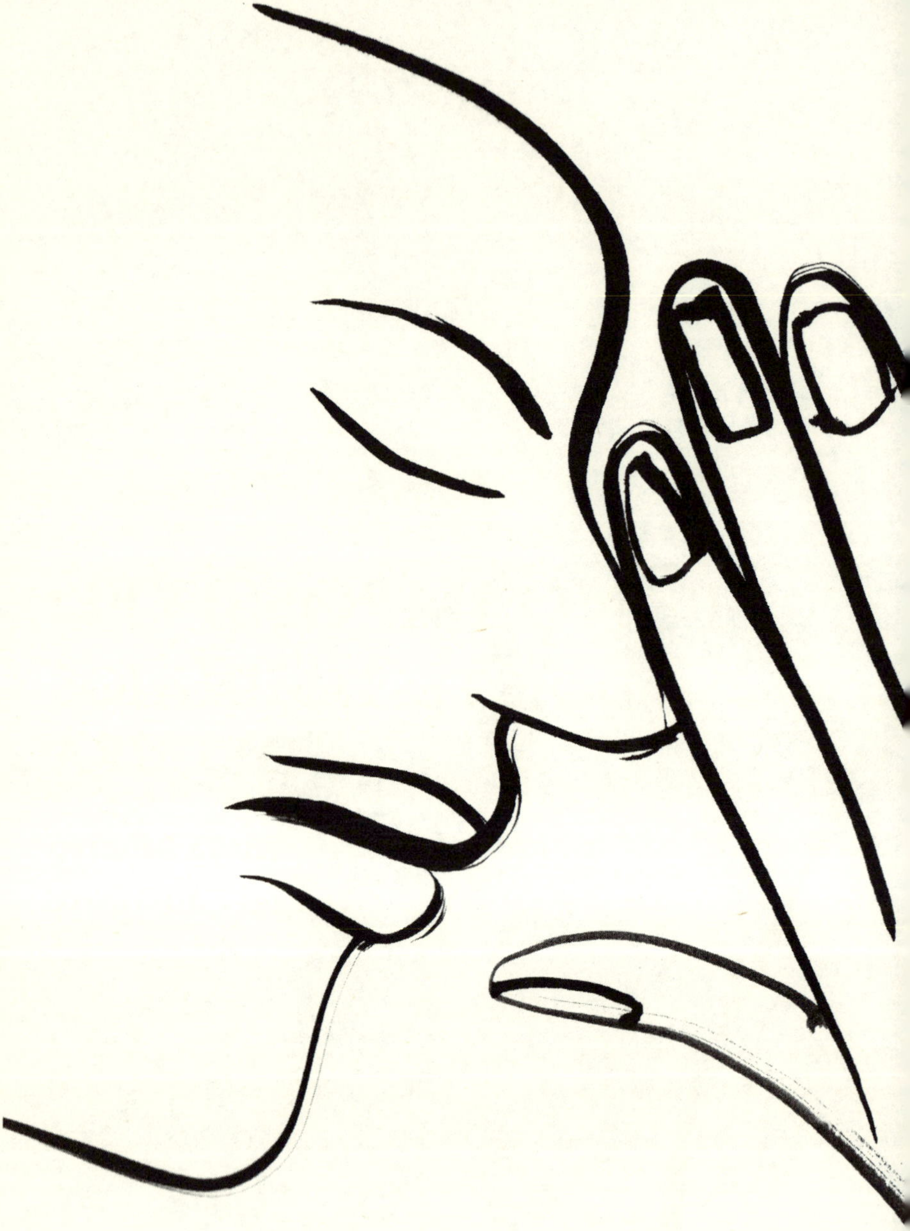

FÉ NO IMPOSSÍVEL: DOIS TESTEMUNHOS DE CURA

Duda Ribeiro

Daniel Camaforte

Amo o verão. Sinto-me acolhida pela vida que vem com ele. Sempre me senti assim. Morar no Rio de Janeiro é ter a possibilidade de encarar todos os dias o mistério do horizonte, contemplar a imensidão do céu, quase sempre azul, e sentir a areia nos meus pés, a água do mar nas minhas pernas e o bafo quente do vento como um carinho em meu rosto. Como se fossem membros da minha família, sinto que cada elemento da natureza me reconhece, sabe meu nome e exatamente quem sou. Abraçam-me sem que eu precise pedir ou fazer cerimônia. Sinto-me amada por eles. Eles me dão esperança e, em troca, abro meus braços e os recebo com todo meu coração. É inútil disfarçar, eu amo a vida. Impossível não ter a certeza de que tudo isso tem um nome: Deus. Aliás, impossível é uma palavra que desde cedo foi cortada do meu dicionário pessoal. Acho que foi graças a meu pai. Quando ele me pedia algo que não conseguia fazer, me encorajava e dizia: "Vai lá e faz. Depois me conte como conseguiu." Ficava tão empolgada em querer retornar para ele com o resultado positivo que me esforçava tanto e no fim, quase sempre, conseguia. Nessas horas conversava muito com Deus, pedia a Ele para me ajudar, pois sabia que era Pai do impossível. Conquistar algo desejado e aparentemente difícil me aproxima da fé. É por isso que vou lá e faço.

Nós íamos andar bastante naquele dia. Subiríamos e desceríamos as ruas da comunidade, locação do nosso próximo encontro. Por isso, pedi a Chris, nossa figurinista, para separar para a Cissa uma roupa bem levinha e confortável. O dia estava lindo, porém muito quente. Não foi muito fácil chegar até a igreja batista onde faríamos a gravação. As ruas eram estreitas e nos perdemos um pouco. Paramos o carro e vi, lá no fim da rua, Daniel se aproximando. Sua história havia me fascinado quando me contaram. Estava muito curiosa para conhecer o homem que venceu junto de Deus o impossível. Sua fé o tirou das estatísticas de mortes causadas pelo vírus HIV.

Daniel Camaforte tem um relacionamento muito próximo com o sagrado, conversa com Ele naturalmente, como se estivesse fisicamente ao seu lado. Diz que não separa um lugar específico em sua casa, como um santuário. O tempo todo, em qualquer lugar e a qualquer hora, está com Deus.

> Estou conversando com Ele enquanto converso com você, Cissa, pedindo que Ele te abençoe.

Todos estamparam no rosto um meio sorriso, foi uma delícia ouvir aquilo. Daniel tem verdade em seu olhar e em suas palavras.

Nascido em Santo André, São Paulo, foi criado dentro da tradição protestante metodista, mas conta que não possuía relação alguma com a igreja.

> Eu ia para roubar os refrigerantes que sobravam das festas de casamento – essa era a minha história com a igreja. Com Deus era diferente, aquele temor de que havia algo forte, transcendente, algo maior, eu sentia sempre.

Ao completar 13 anos de idade, Daniel viu sua vida mudar completamente. Seu irmão entrou para a faculdade de agronomia no interior de São Paulo e, então, seus pais tomaram uma decisão: compraram um sítio em Bauru para investirem no futuro do seu filho. Por conta do trabalho em São Paulo, seu pai não pôde ir; então, foram os três, Daniel, o irmão e a mãe. Emocionalmente, essa mudança foi muito difícil para ele. A distância de seu pai, a ausência de sua namoradinha na época, os amigos, a escola, tudo agora estava longe do seu dia a dia. Não estava feliz. Perdeu totalmente suas referências, até mesmo o ambiente urbano com o qual se identificava tanto. Brigava demais com a mãe e não conseguia fazer muitas amizades novas. Seu primeiro amigo o levou para sua primeira experiência com drogas. Claramente, Daniel estava sofrendo, sentindo dor pelas coisas que havia perdido. "Isso me revoltou, sim", ele disse. Parei um pouco. Provavelmente foram apenas alguns segundos, mas que me levaram longe, e eu pensando em como a mente humana é poderosa, como podemos nos perder completamente por causa de inseguranças, do medo das mudanças, do desconhecido. Tantas vezes tive que me reinventar, tentar, ganhar, errar, tentar de novo, perder, abrir mão, correr, voltar. Essa minha resignação tem uma cama pra dormir à noite e descansar, que se chama fé. Com certeza Daniel não estava com ela ao seu lado nesse período. Volto para ouvi-lo, torcendo para que as lentes da Tissa não tenham registrado esse meu momento de reflexão.

Comecei fumando maconha, depois passei para a cocaína.

A história começou a enfeiar. Eu fiquei apaixonado pela cocaína. Ela é rápida. Enfiei a cara pra valer. Quando alguém começa a se drogar com mais idade é diferente, mas eu era novinho, sem estrutura. Presa fácil, fiquei completamente dependente. A cocaína era muito cara, então tive que começar a usar na veia. Eu tinha 15 anos quando tomei minha primeira picada.

Meu Deus, foi isso mesmo que eu entendi? Daniel estava com apenas 15 anos nessa época e já vivia todo esse problema? Identifico-me com as expressões de espanto da Cissa durante a entrevista. Somos mães, não há como não pensarmos em nossos filhos quando ele diz aquilo.

Não parei mais, estava cada vez mais envolvido com uma turma de amigos que se drogava também. Estava fazendo parte de algo e isso era importante pra mim. Fiquei completamente dependente. Por ser muito novo, não media as consequências, até que experimentei cocaína injetável e me apaixonei. Pronto. Eu era um viciado. Daí pra frente eu não estudava mais, fiquei muito longe da minha família, estava perdido. Meu pai continuava em São Paulo. A situação foi piorando e meus pais não perceberam direito o que estava realmente acontecendo, e os anos foram passando. Tecnicamente chamo isso de negação, acredito que não queriam ver o que estava acontecendo de verdade, é muito doloroso. Naquela época, a cocaína era muito cara, então eu precisava conseguir R$ 300,00 por dia. Não tinha esse dinheiro, então passei a roubar tudo o que via pela frente.

Hoje, em minhas palestras, digo que não é você quem usa a cocaína, ela é que usa você, te arrebenta e destrói. O sonho de todo usuário é usar sem que nada de mal lhe aconteça. Mas isso é impossível, cocaína e vida não combinam. Acho que percebi que estava doente de fato quando meu bisavô morreu e não consegui ir ao enterro dele. Nessa época, já haviam se passado três anos de uso pesado de drogas. Pouco tempo depois, meus pais procuraram ajuda. Não dava mais. Então, fiz minha primeira internação. Nesse momento eu quis parar, de coração, mas o desejo de usar era mais forte. Costumo dizer que é um apetite, não tem relação com aquela história moral de que se usar é porque é um sem-vergonha. Não é nada disso, você quer parar de verdade, mas não consegue. Voltamos para São Paulo e eu, infelizmente, continuei me picando. Até que um dia meu pai me disse: "Filho, lamento muito toda a mudança, se tivesse ao menos imaginado que você iria sofrer tanto, jamais teria tomado essa decisão. Jamais. Precisamos de um exame seu para saber se contraiu o vírus da Aids. Meu filho, você está com o braço cheio de marcas."

Pude ouvir a respiração da minha equipe. Todos estavam envolvidos e emocionados. Eu estava perplexa, sem controle dos meus próprios olhos, que se encheram de lágrimas. Pude sentir a dor desse pai, o desespero a que chegou para dizer isso.

Era década de 1980, a Aids cada vez mais presente e sem tratamento. Eu tinha 19 anos e aquilo significava uma sentença de morte. Fiz o teste. Ficamos apavorados: positivo.

Aqui no Brasil, naquela época, a doença remetia à imagem do cantor, compositor e ídolo nacional Cazuza, muito adoecido. Daniel sempre se identificou muito com a sua arte, sempre foi um garoto que gostava de rock e tinha pensamentos, assim como os dele, revolucionários. Mesmo depois do choque e do desespero, não conseguiu parar, o vício era avassalador.

Comecei a emagrecer muito, feridas começaram a surgir em meu corpo. Apavorante. E o pior de tudo é que atravessei essa situação sozinho, sem Deus. Não que eu estivesse sem o apoio da minha família, mas é muito difícil enfrentar todas as noites uma doença incurável, e intratável na época, me colocando para dormir. E então, curiosamente – acho importante de se dizer –, me despertou para a vida. A morte me despertou para a vida.

Lindo aquilo... Pausa para trocarmos o cartão da câmera e secar o suor do Daniel. Estava muito quente.

Eu havia guardado referências bíblicas que me diziam que o grande responsável pela minha condição era eu mesmo. Eu havia feito escolhas, sabia que meu estilo de vida era o que havia me levado a essa tragédia. Mas, como eu disse, comecei a renascer a partir daí.

Foram várias internações. Até que, um ano depois do triste diagnóstico, seu pai encontrou uma clínica de reabilitação que realmente o ajudou.

Foi quando encontrei Deus. Lá não havia terapeuta, nem médico. Apenas um pastor, uma Bíblia e os obreiros. Sabe quem eram os obreiros? Eram os que estavam um pouco melhores na recuperação e cuidavam da disciplina e da cozinha. Mais tarde, também me tornei um feliz obreiro.

Daniel transformou sua vida e seu destino.

Meu encontro com Deus foi intenso. Restaurei minha fé e meu propósito na Terra. Costumo dizer que fui empurrado para Ele. "Não fostes vós quem Me escolhestes, mas Eu vos escolhi a vós." Naquele lugar me sentia um escolhido de verdade. Meus amigos estavam todos morrendo e eu estava lá, doente, mas determinado a fazer algo melhor com o tempo que me restava de vida. Aprendi isso rápido, na minha primeira semana de tratamento, abri meu coração para o Evangelho, tive o que nós chamamos de conversão muito profunda. A Bíblia descreve como um novo nascimento. Ali definitivamente nasceu um novo Daniel. Eu costumava chorar desesperadamente, falava: "Deus, eu nem peço que o Senhor me cure, o que peço é tempo para obedecer ao primeiro mandamento – honrar Teu pai e Tua mãe para que prolongue Teus dias sobre a Terra." E Deus respondeu, Cissa, porque já se passaram 21 anos e estou vivo. Se eu estou vivo, Deus está vivo!

Pouco tempo depois dessa minha internação, tive sonhos bastante reveladores com Deus. Ele me levava a diversos lugares, cruzávamos juntos muitas fronteiras. Sabia que Ele havia colocado uma missão diante de mim. E decidi usar todo o tempo que eu tinha para transmitir essa mensagem de que é possível restaurar-se, recuperar-se, sair do fundo do poço. Eu queria dizer isso às pessoas que estavam encarando o mesmo sofrimento e isso é uma missão, um ministério, um pastorado – é um chamado. Converti-me e me tornei pastor. Um dos sinais mais fortes que recebi foi em relação aos meus sintomas, tinha pneumossistose, uma pneumonia bem grave, além de muitas feridas, febre, diarreia – um quadro bem clássico da doença. Numa noite, subi no alto de um dos montes da propriedade da clínica e disse: "Deus, não me deixe morrer, me dê mais um tempo de vida." Os sintomas desapareceram, sem que os médicos pudessem explicar. Foi tudo documentado: as feridas secaram, ganhei peso e, desde então, nunca mais adoeci. Nunca mais. É importante dizer que continuei tomando meus remédios; afinal, os sintomas pararam de evoluir, ganhei saúde e estabilizei as minhas defesas, mas o vírus estava lá.

De repente ouço um "Viva!", não muito alto, sem chegar a atrapalhar o som da filmagem – mas que eu ouvi o Alê, assistente de câmera, dizer isso, ouvi. Pude ver que Daniel se inclinou um pouco, olhou bem no fundo dos olhos de Cissa e citou uma passagem da Bíblia em que está escrito que o poder de Deus se aperfeiçoa nas nossas fraquezas: "Quando estou fraco, então é que estou forte", apóstolo Paulo. Anotei no meu caderno.

A princípio ele entrou na clínica para ficar três meses, mas sua identificação com as pessoas, com o ambiente e com a sua recuperação evidente o fez ficar seis anos. Seu trabalho como voluntário de ajuda aos demais dependentes foi essencial para sua recuperação, ajudou-o muito. Foi também nesse período que conheceu a sua atual esposa.

Havia uma igreja próxima da clínica, que ela e eu frequentávamos. Desde o início, contei a ela que era portador do HIV e, mesmo assim, ela topou casar-se comigo! Disse-me que Deus tinha um propósito em nossas vidas e que nos casaríamos. Graças a Ele hoje tenho uma família linda e, o principal, saudável. Além de ser Pastor Batista da comunidade do Morro do Barbante na Ilha do Governador, sou também psicólogo. Especializei-me em dependência química e viajo muito pelo Brasil e para fora do país realizando palestras sobre o tema. Tenho vários projetos na comunidade, como o de construir uma escola de futebol, uma de música e outra de dança. Minha preocupação maior é trabalhar com o método de prevenção, eu cuido para que as crianças não se interessem pelo mundo das drogas e tenham todo o apoio necessário para uma vida feliz e preenchida com muito amor.

No final, pedi a ele para definir fé e ele me disse que ela era muito simples: "É o firme fundamento das coisas que se esperam e a prova das coisas que não se veem. Fé é esperança. A minha é vivida no dia a dia. Pelas esquinas.", fala isso sorrindo com os olhos. Saio de lá com a certeza, mas com uma certeza tão grande de que em nome Dele tudo é possível, que meu corpo parece não respeitar mais a lei da gravidade e é capaz de sair de lá flutuando, sentindo o vento e, como um pássaro, voo em direção ao sol e pouso no pico de uma montanha para agradecer por mais esse encontro. Amém.

Já era madrugada de sexta para sábado. Eu estava exausta depois de um dia inteirinho de gravação e da apresentação da minha peça, quando resolvo abrir minha caixa de e-mails. Tenho essa mania que não consigo largar, a de abrir meus e-mails independentemente da hora, toda vez que chego em casa. Acho que isso não é bom, acabo indo dormir com minha cabeça a mil! Naquele dia foi maravilhoso. Lá estava ela, na minha caixa de entrada no meio de e-mails não lidos, uma mensagem de Luiz Eduardo Reis Ribeiro, meu querido Duda Ribeiro, ator e roteirista, sugerindo a sua participação no programa. Dizia naquela mensagem que admirava muito o nosso trabalho e acreditava que sua experiência de fé ajudaria muita gente. Obrigada, Duda, você tinha razão.

Gosto muito quando conseguimos gravar os personagens em suas casas. Sinto que ficam mais à vontade. As câmeras entram como visitas muito bem-vindas que são recebidas pelos móveis, objetos, fotografias, quadros, cores... Enfim, testemunhas da vida daquela pessoa, nos ajudando a contar e a entender cada história. Com o Duda foi assim. Ficamos na intimidade da sua sala, olhando para a mesma vista que ele contemplou quando vivia a difícil fase de sobreviver a um câncer seríssimo. Nascido no Rio de Janeiro, estudou no colégio Santo Agostinho, uma escola católica, durante boa parte da infância. Sua avó, viva até hoje, é espírita, mas seus pais eram católicos e, por isso, foi batizado, crismado e chegou até a tocar violão nas missas. Porém, não dava muita atenção a sua religiosidade; seu interesse mesmo era correr para a praia e surfar.

Depois que saí da escola, comecei a questionar um pouco os ensinamentos católicos. Demorei muito para entender o que era o cristianismo e o catolicismo. Hoje sou cristão, mas sei que nem todo cristão é católico, mas que todo católico é cristão. Colocando isso bem informalmente:

o meu time é Cristo. Vivi um momento muito difícil quando estava com mais ou menos 20 anos. Perdi uma amiga muito próxima e de uma forma muito violenta. Questionei Deus. Queria entender o que ele esperava de nós, seres humanos. Uma violência gratuita, sem sentido, por quê? Afastei-me, me desorientei. Acho que existem, na vida de cada um, momentos em que achamos sermos capazes de nos suprir, de sobreviver só com nossos próprios pensamentos, sem um guia, uma orientação. Entreguei-me totalmente ao meu trabalho, à minha arte. Pensava que aquela era a minha religião, meu sacerdócio, uma verdadeira devoção. Ela me fazia, como até hoje me faz, muito feliz. Certa vez, Ignácio Coqueiro, um colega de trabalho e amigo, falou: "Duda, vamos fazer um filme sobre Cristo?" Fiquei meio reticente, um pouco apreensivo talvez, mas acabamos fazendo o filme com Raul Gazolla e Myrian Rios. Tudo tem um propósito, nada é por acaso. Hoje entendo por que eu tinha que fazer esse filme e entender a história de Cristo. Foi nessa época então que realmente fui estudar. Acho a história de Cristo fantástica. Logo que resolvemos falar do nascimento Dele, decidi passar na casa da minha avó, que é meu guru e está com 94 anos. Na sua casa, achei uma Bíblia para crianças e pensei: "É essa mesmo!" Com ela, compreendi muitas coisas. Pesquisei alguns documentários e mais informações sobre o hiato que existe na história entre o nascimento de Cristo e os 30 anos de sua vida. Gostei muito do que descobri.

Sua fé e sua relação com Deus mudaram completamente quando descobriu que estava com câncer. Duda conta de uma forma muito própria esse pedaço de sua história de vida. Sua relação com a doença, com o câncer, é relida depois de sua cura através das lentes da fé. Achei tão especial quando ele deu o nome da sua doença de "purificação". Naquele momento, percebi que sairíamos de lá diferentes.

Eu tive câncer e, naturalmente, me virei para a espiritualidade. Não por medo, mas por uma necessidade plena de entender quem sou e o que estou fazendo aqui. Uma única vez me perguntei "Por que eu?", mas foi tão dramática e feia essa cena que logo mudei de foco, não era bem por aí. Um dia, aqui em casa mesmo, minha tia, que é messiânica há mais de trinta anos, me fez uma visita e falou que havia um local onde as pessoas ministravam Johrei e que eu tinha que conhecer. Nunca tinha ouvido falar. Mas, se iria me fazer bem e como era bem pertinho do meu prédio, eu fui. Lá, encontrei uma pessoa que me orientou. Gostei muito, me senti superbem. É um ambiente diferente, a filosofia é japonesa. Uma vez por mês tem o culto de gratidão, que, em algumas partes, é feito em japonês. Meishu Sama é o mentor dessa filosofia que nos presenteia com frases fortes sobre gratidão e desapego. Ensinamentos que a gente tem que usar mais no dia a dia. É difícil desapegar de um amor, é difícil ser grato. Ser grato na purificação: "Obrigado,

Senhor, por estar passando por isso." Saber que poderia ser pior, poderia ser com seus filhos. Se você passou por isso, tem que agradecer a oportunidade que tem de evoluir, de passar para um outro patamar, para poder dizer ao seu próximo literalmente: "Faça por merecer." Eu estava com o canal da minha espiritualidade tão aberto, tão disponível para as pessoas, tão cheio de boas energias que, no mesmo período, fui a um centro kardecista por indicação de um conhecido para ouvir a leitura do evangelho e receber um passe. A princípio era só isso, apenas um dia. Mas também me identifiquei e, assim como a igreja messiânica, passei a frequentar esse centro.

Ficava olhando para ele e, ao mesmo tempo, agradecendo sua cura. Sei que a doença não foi nada fácil, assim como o tratamento. Sei que tudo foi muito duro. Orei muito na época. Lembro das muitas internações e cirurgias. Imagino como deve ter sido ruim para ele.

Eu estava bem da vida, pegando onda, fazendo uma turnê com a peça *Dona Flor e seus dois maridos*, mas achei que estava na hora de fazer uns exames porque estava viajando demais, indo a muitos restaurantes, e nos resultados estava tudo certo, exceto por um índice, um ponto diferente, numa região que eu não conhecia, e acabei cismando com aquilo. Então, liguei para um amigo médico e ele falou que era o fígado, disse para eu fazer uma ultrassonografia. O resultado mostrou que meu fígado estava cheio de nódulos. Desde então, fui avançando, tomografia, ressonância, e no momento em que fui fazer a biópsia deu tudo errado, tive hemorragia e acabei ficando dois dias no hospital. Foi horrível. Era um tumor neuroendócrino, indolente, que estava quietinho. Disseram-me que devia tê-lo havia mais ou menos dez anos. Seu grau de agressividade era muito alto, quinze, quando normalmente é um. Tive metástase no fígado. Nem sabia o que era isso. A característica do meu tumor era de me dar um tiro no peito. Dois dias depois, quando soube que tinha dois tumores em vez de um, fiquei sabendo também que os médicos não sabiam onde estava o outro. Claro, nesse momento, meu coração disparou. Fui internado novamente. Foi necessário que me desfibrilassem. Quando eu já estava saindo, senti uma dor forte no abdômen, fizeram uma nova tomografia e viram que meu apêndice estava enorme. Era o tumor primário que estava minando o fígado. Era necessário descobrirem e eliminarem o primário para depois cuidarem do fígado. Em vinte dias, tive minha terceira internação e minha segunda cirurgia, que durou quase dez horas. Tiraram o apêndice e o íleo. Quinze dias depois eu estava de volta aos palcos. Meu médico não acreditava. Perguntei a ele se ele queria convite, e toda sua equipe foi. Para ajudar na minha recuperação, eu usava uma cinta e ia andando de casa até o teatro pra ganhar peso e poder soltar um pouco o diafragma. Chegava lá e ficava andando no palco antes da apresentação para me preparar. Fiquei um mês e meio assim.

Terminou a temporada e veio outra internação, comecei a fazer a quimioterapia. Meu médico, desde o início, falava que meu tratamento era o transplante. Pensei: "Que isso? Como é que a gente já vai direto para o topo? Já saí direto para ser protagonista de novela, nem comecei a minha carreira!" Foi um ano difícil. Doze sessões de quimioterapia, várias internações, mas foram também dois filmes, *Heleno* e *Assalto ao Banco Central*, e vários espetáculos da peça *Dona Flor e seus dois maridos*. Sofri muito com tudo isso. Na oração do Pai Nosso tem uma frase que diz: "Seja feita a Vossa vontade", e me lembro de uma vez em que desci para a capela do hospital e falei: "Tudo bem, Senhor, mas não sei qual é a Sua vontade, dá pra gente negociar?" Digo a Ele que coloco minha vida em Suas mãos, mas que, em troca, deve me dizer o que tenho pela frente para que eu possa me preparar. Confio na Sua Vontade. Olhava para a imagem de Santo Agostinho em meu colo e dizia: "Me apadrinha, me põe no teu colo."

Tive muito apoio da família e das pessoas que trabalhavam comigo. Dizia ao contrarregra da peça, que ficava na cochia, que, por causa do meu tratamento, eu provavelmente iria vomitar. Então pedia a ele para esperar do lado de fora do palco, com um saco plástico, caso me desse vontade. No final daquele ano, eu estava muito doente, na fila do SUS para o transplante, e só se entra lá quando a pessoa está mesmo muito ruim. Tive quatro chamadas de possibilidades, três não aconteceram, na quarta vez foi um longo percurso para dar certo, mas agradeço aos meus médicos que conseguiram, agradeço muito a Deus e à família da cidade de Toledo, família do jovem que faleceu e que me salvou. Ele tinha apenas 17 anos. Penso que, se eu tenho esse tempo de vida, a família tem esse tempo de luto. Sempre penso neles, na mãe, nos irmãos. Quando fiz um ano de vida, a partir do meu renascimento, fiz uma missa para mim e outra para esse jovem. Converso muito com ele, e lhe agradeço muito.

Não aguentamos. Ou melhor, eu não aguentei, não consegui conter minhas lágrimas, não podia parar a gravação, então pedi à maquiadora para me passar os lenços da Cissa. Era impossível não pensar em meu pai, que perdi para essa mesma doença. Duda diz que essa doença não atinge apenas a pessoa que está com ela, mas sim, a família e amigos próximos.

Cissa, o que mais me preocupava, durante todo o tempo, eram meus filhos. Tenho uma menina de 12 anos e um menino de 10. Não suportava a ideia de eles perderem o pai muito cedo. Ao todo foram seis cirurgias, sete internações, doze sessões de quimioterapia e duas vezes em que os médicos disseram a minha família para se despedirem de mim pois, com certeza, eu não sairia do hospital.

Sua fé lhe dizia que não ia ser o seu fim.

Nunca pensei na morte. Não que eu não aceitasse, mas eu sabia, com toda a certeza, que eu tinha que passar por aquilo. Era uma missão, uma espécie de contrato que assinei. Era assim que eu pensava e penso, ouvia isso do meu amor, da minha fé.

Deus tomou conta do seu coração. Por mais distante que estivesse de Deus e da religião em alguns momentos de sua vida, Duda foi uma pessoa que nunca se desconectou com o ser humano e com suas necessidades. Sua avó o ensinou a ter pequenas atitudes com o próximo, sem ter que mostrar que estava fazendo isso, apenas preocupando-se em fazer a diferença e ajudar. Definitivamente é uma pessoa que sabe o valor do próximo, o valor de um abraço. Aprendeu desde muito cedo a não jogar pedra em alguém sem, de fato, entender o que realmente aconteceu. Antes de encerrarmos a entrevista, contou uma passagem linda. Um dia, no hospital, orando para Deus de olhos fechados, sentiu uma mão segurando a sua.

Sentia que era uma mãozinha de criança, pequena e de menina. Pensei: "Não vou abrir meus olhos porque sei que não vou ver ninguém mesmo, sei disso, mas quero continuar sentindo essa mão segurando a minha." E dormi com aquela sensação. Sabia que era a Sua presença, nunca estive sozinho.

Fomos até seu quarto, pois ele queria nos mostrar os vários presentes de amigos, família e desconhecidos de diferentes partes do país, que ganhou durante o tratamento. Imagens de santos, crucifixos, livros que preenchem uma estante, um tipo de santuário especial em seu quarto. Guarda-os com muito carinho e nos diz que está indo pessoalmente até essas pessoas para agradecer e retribuir uma a uma com o seu testemunho. Que maravilha isso! Ele acredita, assim como eu, que todas as conexões vão para o mesmo lugar. Esses atos preenchiam o meu coração, e minha fé crescia cada vez mais. Abracei-o muito forte e com muita vontade de lhe pedir um Johrei, ao que ele respondeu: "Será um prazer enorme. Mais do que isso, é minha obrigação."

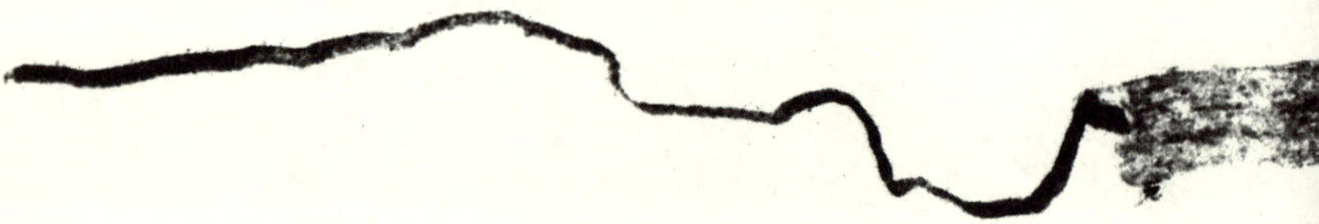

FÉ NO DOM:
MÚSICA, ARTE E VIDA

Milton Nascimento
Miguel Falabella
Viviane Prudencio

O dom é um presente de Deus, uma virtude que proporciona até mesmo força e garra para realizarmos atos de bondade. Atos que nos trazem a satisfação de termos praticado a nossa função na Terra, ao sermos recompensandos com a aprovação de Deus. Acredito nisso. Penso que dom mesmo é assumir, sem medo, nossa dádiva não só ao mundo, mas a nós mesmos.

Eu tenho um dom. Ganhei esse presente e não tenho receio em revelar qual é, sempre procurei usar e abusar dele. O meu dom é o sorriso, com o qual acolho e sou acolhida. Ele é a janela da minha alma alegre, disposta a compartilhar. Um sorriso que sempre agradeceu e nunca esperou por uma crise para descobrir o que é importante em minha vida. Penso que a alegria nos aproxima de Deus. Não tento expulsar a felicidade quando chega sem motivos, sorrateiramente pela porta dos fundos ou pela da frente. Eu a recebo sem culpa e aceito ser alegre, expressando-me com uma gargalhada estrondorosa ou apenas com o silêncio. O sorriso é mesmo meu dom.

Nunca tinha pensado sobre isso. Nem nunca tinha percebido em mim nenhum dom. Tenho uma sensibilidade apurada e aflorada que costuma dar trabalho. Sou observadora, gosto de gente (apesar de às vezes fugir de gente) e minha memória é quase que mais afetiva do que a própria ideia do que é afetividade. Não sei me colocar no mundo sem esse transbordar de afeto. Nem quero. Sou intensa. Muito. Mas se minha intensidade está longe de ser um dom, ela também não é um pesar.

Consigo ver na Cissa o dom de ser alegre, entendo quando disse que seu dom consistia nisso. O sorriso dela acolhe e refresca a alma. Mais do que simplesmente sorrir, é o frequente estado de alegria o dom mais genuíno da Cissa. Alegria que nasce de sua relação com o mundo, que a envolve e que vem das profundezas do seu ser. Alegria que não exclui ou mascara as tristezas e as dores que qualquer um de nós, em maior ou menor grau, sentimos em nossas vidas.

Achei melhor começar a falar de dom porque acredito que certos encontros são assim: uma dádiva, um presente, um privilégio. Vivenciei muitos encontros felizes no decorrer da minha vida. E talvez seja por isso que carrego comigo o dom de ser alegre. O alimento de toda e qualquer alegria está justamente no renovar de cada encontro. É tão bom ao encontrar com o outro e sentir do pulsar da vida, um reconhecimento de energias, um vibrar cadente de almas.

Sou muito suscetível a essa vibração de energia dos encontros. Preciso ficar atenta a isso. Se não a absorvo sem medida, sem me dar conta, sou tomada por vibrações e pulsares que não me pertencem. E que me distanciam de mim. Estar em vigília para não me perder no esforço do afastar as energias alheias é um estado corriqueiro de minha alma.

Alimentar minha alma com pulsares e vibrações alheios, sem perder meu contorno, não requer esforço para mim. Assim é meu jeito mesmo de estar no mundo, de me colocar diante do outro. Assim sou eu. Foi desse jeito que me coloquei em meus próximos três encontros. Encontros que foram alegres, densos e inesperados, apesar de terem sido marcados. Nossas energias se complementaram, nossos dons se conectaram.

Com Miguel, eu não esperava que fosse ser diferente. Cissa e ele conviveram durante anos quase diariamente por conta do trabalho. E durante todo esse tempo desenvolveram uma amizade real e uma cumplicidade dessas que não se conquistam, se reconhecem. O encontro dos dois sempre é feliz e, no dia em que fomos à sua casa para falarem sobre fé, a felicidade se fez presente e se espalhou sobre todos.

Estar com o Miguel desse jeito e nesse momento era de uma alegria bem maior do que a Tissa poderia imaginar. Eu sabia bastante sobre ele, conhecia suas práticas de fé, sua paixão por São Miguel Arcanjo, sua ligação com a umbanda, mas nunca tinha parado e conversado com ele a respeito de sua fé.

Minha avó era de família italiana, muito católica, mas meus pais eram intelectuais – meu pai, arquiteto, e minha mãe, sartriana, professora de literatura francesa –, então nós tínhamos uma liberdade muito grande. Podíamos fazer escolhas. Jamais gostei da liturgia, aquilo sempre me incomodou. Não gostava da tristeza, do senhor morto, minha avó obrigava a gente a beijar uma estátua dentro de um caixão. Eu achava aquilo muito esquisito, pois, apesar de muito pequeno, já tinha uma noção de espiritualidade ou de fé. Então a gente optou. Meu irmão quis fazer a primeira comunhão e eu nunca fiz. Eu tinha uns 10 ou 11 anos e disse que não queria fazer, porque não era minha praia, mas que eu respeitava.

Respeito todas as manifestações religiosas, acho que todas elas são válidas e dignas quando a religião é usada para o bem do homem e não para a exploração;

simplesmente não compartilhava daquela crença. A minha relação com o divino se estabeleceu e se processou por meio da arte e de uma crença absoluta nas minhas possibilidades, isso é fé. Não tenho a fé "de estampa", que eu digo, que é a fé do anjinho criança, não tenho esse tipo de fé de achar que há um mundo paralelo, não, não acho que seja assim. Existe uma coisa muito maior do que tudo isso. Vicente Pereira, um grande amigo que nos faz muita falta, dizia uma coisa linda: o riso é a gasolina do espírito. Então, não gosto de pessoas que não têm humor nem conseguem celebrar a sua passagem, por mais difícil que ela seja – e nós sabemos bem das caceladas que nos esperam, que nos obrigam a nos reconstruir depois, a partir de sua própria sucata. Acho que é fundamental esse humor. Acho que a primeira fé que se precisa ter é na existência do ser humano e que a única constância do universo é a mudança, a impermanência; esse é o primeiro aprendizado de todos.

Não gosto da fé cega, aquela que não admite dúvidas. Não é à toa que gosto do santo do qual eu carrego o nome, São Miguel, que luta contra Lúcifer porque ele duvida. No entanto, por mais que eu ame São Miguel, gosto também do Lúcifer, não da coisa do diabo como se pinta, mas da dúvida que representa – gosto da discussão, pois acho que ela nos faz avançar. Sempre tive uma crença muito forte nas minhas possibilidades, nas coisas que acreditava que seria capaz de fazer, e sempre senti uma mão muito forte sobre mim. É como São Miguel, gosto do mito, do guerreiro, do anjo, da imagem, então eu uso aquela imagem e eu acho que ele me protege. Então, a partir desse momento, a minha crença faz com que isso se torne realidade. Penso que a minha fé no meu protetor faz com que as coisas avancem.

Pergunto se ele não acha que a sua criatividade seja um dom divino, que veio dessa fé. Ele hesita. Consegue aceitar que é um presente da vida, mas não um dom. Eu discordo. Conheço muito bem o Miguel e sei a maneira com que ele se relaciona com o seu trabalho de fazer arte, de criar; é bastante mística. Digo, bastante mística, e não unicamente mística.

Não sei... Não sei se é um dom divino. Acho que é um presente que recebi, sem dúvida alguma, da minha vida e dos meus pais, que me formaram bem, que colocaram livros nas minhas mãos. Respeitaram, ainda que brigando, todas as minhas escolhas. Quando decidi que não faria a primeira comunhão, fui respeitado, só minha avó que ficou meio arrasada. Mas, isso não é negar nem a importância da religião nem a importância de Deus. Isso mostra apenas que eu queria o que me foi dado, a liberdade de escolha. Sou livre. E sempre quis ser assim, livre.

Concordo com a Cissa. E também, entendo Miguel ponderar. Vou além. O dom é uma dádiva. A dádiva é um presente. Um presente da vida. Tudo o que fazemos na vida depende do tipo de envolvimento que temos com as coisas. Coisas que estão no mundo. Coisas que não estão em nós. Coisas que estão junto a nós. Se assim me parece ser o caminho é porque eu entendo que minha vontade não é soberana ou onipotente. Não vivo no vazio, mas em um todo, onde existe eu, os outros e as coisas. E é nesse lugar que morará então a minha criatividade. A partir dele é que eu posso exercê-la. Inventar, criar e recriar. A criatividade é um processo que se estabelece a partir de uma dinâmica muito interessante entre as coisas que existem fora de mim (no mundo) e eu. Para criar preciso de inspiração. E minha inspiração não brota em mim, independentemente da minha relação com as coisas que existem nesse todo que é o mundo, ela nasce da relação que crio com essas coisas a partir do lugar onde estou e de onde as percebo. Só assim que poderei me deixar inspirar e ser inspirado. Só inspirada poderia criar. Deus é o único que pode criar a partir do nada, do vazio. Ele e mais ninguém.

É isso. Assim que entendo a criatividade no Miguel: toda a sua criação vem da maneira especial com que ele se coloca no mundo, criando e recriando do seu jeito. Qualquer um pode receber um presente da vida se nela se colocar de uma maneira em que exista espaço para ver e reconhecer o presente. O presente de Miguel é seu dom de criar a partir de sua capacidade de enxergar coisas que parece que só ele consegue ver. Coisas grandes. Coisas pequenas. Coisas de perto. Coisas de longe. Coisas que gosta, que não gosta. Talvez realmente para Miguel não seja assim...

Não importa. Cissa e eu contamos aqui as histórias dos outros a partir de seus dizeres – do que eles nos contaram e que registramos ao fazer o programa –, mas através dos nossos olhares. É o dizer de um com o olhar de outro. Estamos diante da diferença entre olhares e dizeres. E vamos adiante. Não carece suprimir as diferenças, o melhor é a gente deixá-las livres. Diferenças precisam respirar. Miguel sempre soube apreciar o que dele fosse ou pudesse ser diferente, em sua vida e no seu jeito de viver com fé.

Gosto muito de lendas, de mitos. Como dessa história que contei da batalha entre São Miguel e Lúcifer. Acho que isso é importante para o imaginário. Acho interessante, por exemplo, a minha avó paterna que psicografava. Ela psicografava e muito. Lembro dela escrevendo e um copo d'agua. Havia isso na minha família, embora minha mãe, que era sartriana e existencialista, não fosse muito chegada a essas coisas. Então, fui criado com essa dialética. Na verdade, fui criado nesse mundo burguês da casa do meu pai, em que uma avó psicografava e que, ao mesmo tempo, eram católicos. Fui criado com muita religião dentro de casa, as mais diversas manifestações, e, obviamente, como sempre gostei "da cozinha", do imaginário popular, absorvi todo o universo da cultura das religiões e cultura afro-americanas trazidas pra cá, que é lindo e infelizmente está se perdendo. Eu ficava muito encantado com isso porque tinha a cozinheira da minha casa, que nós chamávamos de tia Eurídice. Ela trabalhou lá a vida inteira, nos criou, e as filhas dela também foram babás.

Minha mãe era uma pessoa extremamente generosa e muito especial, uma mulher que não tinha nenhuma relação com a matéria, e eu entendia a religião através dela nesse sentido: ser generoso e efetivamente ajudar o próximo, transformando o semelhante numa pessoa melhor. Por isso, ela incentivava muito o meu interesse pelo universo da tia Eurídice, que era da umbanda, me levava nos terreiros e eu adorava! Minha mãe, mesmo com esse lado intelectual, foi quem mais me ensinou a ter fé. Foi uma pessoa muito fundamental na minha vida, mulher brilhante e muito livre nesse sentido e que permitiu a cada um de nós da família descobrir a importância da fé, e nos mostrou uma ferramenta importante para isso: acreditar em você mesmo. Perder minha mãe foi um momento muito duro da minha vida, no qual ter fé me ajudou bastante.

Foi logo em seguida à morte de sua mãe que Miguel recebeu outro desses presentes da vida: um encontro.

Um encontro com uma pessoa que ele já conhecia mas que, a partir daquele momento, se tornou muito próxima e especial.

Em 1983, quando minha mãe precocemente morreu, Chica Xavier, que interpretava minha sogra na novela *Amor com amor se paga*, que estávamos gravando na época, me viu muito triste e falou: "Sua mãe se foi, mas eu fiquei no lugar dela." E ficou! E, ainda por cima, de uma forma muito impressionante. A gente já estava muito próximo, eu gostava dela. A gente já estava muito atraído um pelo outro. Então, ela realmente virou minha mãe, os filhos, Cristina e Isabela, são meus irmãos e o filho da Isabela é meu afilhado, batizado no centro e também na igreja. Porque eu acho bonito "que a minha casa seja a casa de oração de todos os povos". Penso que a coisa mais estúpida do ser humano são guerras religiosas, intolerância. Isso realmente não está em nenhum ensinamento. Religião é amor e te faz amar a exceção, ser generoso com aquele que está excluído. A religião nos ensina a amar aqueles que precisam mais do amor, do seu olhar, do seu carinho, do seu afeto. Pessoas que estão num momento difícil e que precisam de uma mão.

Genuíno e generoso, esse Miguel. Tem uma coisa nele que acho linda: é capaz de dar e receber amor com a mesma intensidade e verdade. É muito bom quando conseguimos nos abrir para receber o amor que o outro nos emite. Assim, a energia do que é bom circula e as trocas acontecem. As diferenças se encontram sem se dissolverem ou se sobreporem.

Sempre fui uma pessoa muito generosa no dar amor, quer dizer, em meus atos de amor para com o outro. Mas demorei para entender que essa generosidade só aconteceria de fato quando eu estivesse aberta, livre de qualquer receio ou timidez, para receber e reconhecer os gestos de amor do outro para mim. Sobretudo daqueles que me são caros. Gestos de amor ganham vida, se circulam. Recebo, dou. Dou, recebo. Eu me pegava, em algumas situações, encabulada com os atos de amor que vinham para mim. Interrompia a troca. E me isolava. Desse jeito, sem querer, eu transmitia para algumas pessoas que eu escapolia, que eu não me comprometia e que talvez não valorasse aquele amor o suficiente. Nada disso. O que era é que eu não sabia como receber sem me sentir encabulada. Depois que meus filhos nasceram, isso começou a mudar. Foi mudando... mudando... Até que consegui (não, sozinha) mudar bastante. Então, a energia do dar e receber amor não foi mais interrompida e me devolveu ao mundo. Ela passou a ser senhora da minha maneira de ser e estar no mundo.

Minha maior dor não me destruiu por inteira, foi contornada. E isso justamente porque consegui me colocar para além dela. Assim, pude receber todo o amor que me transmitiram. Foi uma corrente linda que me sustentou e me possibilitou continuar a ser. Miguel foi um dos elos dessa corrente. Nunca, na vida, vou esquecer o que recebi dele.

Foi lindo quando, no meio da conversa dos dois, Cissa resolveu agradecer a Miguel por tê-la feito sorrir pela primeira vez após a passagem do Rafa. Nessa hora, a dinâmica do amor se refez e a energia circulou. Suas luzes se reencontraram. As almas se olharam. De longe, mas não tanto, pude admirá-los.

Quando soube, corri para você. E, naquele momento, o que eu vi na minha frente foi uma daquelas mulheres que perderam tudo no tsunami. Falei: "Minha amiga, você agora está no Sri Lanka, pegue um pedaço de pau, veja se sobrou uma cabra, se enrole num sari e vá em frente." Fazer o quê? O que se faz naquele momento? E você teve um ataque de riso e eu senti que te acolhia. Tem uma história também do enterro da minha mãe. Eu estava muito triste, mas tinha toda a turma do besteirol me dando força, Vicente, Mauro, Duse, uma galera. Quando saí da capela do cemitério São João Batista para o enterro propriamente dito, repentinamente a Duse Nacaratti, que também nos faz uma falta enorme, disse: "Oh príncipe (me chamava assim), sabe que estou olhando para esses túmulos aqui e estou pensando que, se a lei da reencarnação é mesmo válida, deve ter vários túmulos nossos por aí." (Essa fala está até na minha peça *A partilha*.) Respondi que fazia sentido, ela continuou: "Olha aquele ali, Eudoxia Agrícola, fui eu. Fui dona da fábrica de tratores *Caterpillar*." Nós tivemos um acesso de riso no meio do São João Batista e meu pai ficou puto comigo. Mas aí virou um jogo porque ficamos tentando descobrir quem tínhamos sido, até virou um delírio.

Então, a vida nos mostra o quanto somos frágeis o tempo inteiro, o quanto somos patéticos, e o riso está lá, do lado da dor, moram na mesma vila. Numa casa mora a dor, na outra mora o amor. A gente tem que tomar cuidado para, quando a dor chegar, não espantar o amor, e o mesmo também não pode acordar a dor. Eles são vizinhos, a gente tem que aprender a viver com isso e, efetivamente, temos que ter tolerância com o divino nessa hora.

A minha avó sofreu muito com a morte da minha mãe, porque ela tinha a fé, sem dúvida. Era superpraticante e, de repente, esse Deus lhe tira a filha brilhante, mais velha, linda e jovem, então foi muito devastador. Nunca fiz tragédia, acho que não farei porque não é meu registro, mas, quando vi minha avó chegando no enterro da minha mãe, eu entendi. Entendi como é que se deve fazer uma tragédia. Era uma revolta de minha avó, uma intolerância dela contra o divino por aquilo que estava passando. E essa intolerância a gente tem que afastar. É a tolerância que devemos cultivar todos os dias com as pessoas...

Para terminar, Miguel contou uma historia que exemplifica muito bem tudo isso.

Converso muito com o universo. Agradeço sem parar. De vez em quando, venho aqui para a varanda e dou uns gritos de obrigado. Grito mesmo: muito obrigado! Tenho umas ondas assim. Um dia, alguém me falou que São José vem no dia dele para esse nosso mundo. E que nos dá umas incertas, umas testadas. Aí fiquei com essa história na cabeça. Um dia, andando de carro no Leblon, alguém disse que era dia de São José. Dei ré no carro para sair e vi um mendigo se aproximando. O coitado estava machucado. Eu não tinha dinheiro trocado, aquelas coisas... Dei a ré rapidinho e fui embora antes que ele pudesse chegar. No primeiro sinal que parei, eu falei: "Era São José." São José veio e eu acelerei. Como é que dou uma dessa com São José? Rodei o Leblon todo atrás desse homem, durante umas três horas. Até que o achei, ele estava com a perna quebrada, e ainda o levei ao hospital para cuidar dela. Assim, limpei a minha barra com São José. Adoro lembrar dessa história. As lendas e os mitos servem para que a gente possa praticar a nossa fé, a nossa religião, a nossa religação com o divino e com o ser humano, seu semelhante. Porque na verdade é disso que a gente precisa, dar as mãos e buscar um caminho viável.

Escutando meu amigo, de mãos dadas com ele, respiro fundo e contemplo por segundos os seus olhos cheios de amorosidade enquanto repasso em minha cabeça suas palavras.

Ainda de longe, mas não de tão longe, me torno, mais uma vez espectadora daquele amor. Lembro do meu pai. Lembro dele dizendo que para que qualquer energia circule tínhamos que respirar. Mas respirar com a total consciência de que estávamos respirando. Sentindo o percurso do ar. Algumas vezes, quando ele falava isso, me irritava. Nem sempre ele sabia a boa hora de falar as coisas. Mas sempre ele falava. O que olhando agora daqui, me parece melhor. Muito bom um pai que fala. Respiro. Sinto o meu respirar. Uma vez. Depois outra. Até que me desapego do ato e a respiração apenas é. Ela acontece. Tudo então, circula. Agora estamos num outro dia. Cissa já deixou o seu Miguel e estamos novamente prontas para continuar.

Vamos adiante. É hora de estender minha mão na direção de outra pessoa. É hora de chegar perto de uma moça de 27 anos, a qual não conheço, mas que sei também ter um Miguel em sua história.

Viviane é uma fã do nosso programa que nos enviou uma mensagem pelo site contando um pouco da sua história e deixando seu contato. Liza, nossa pesquisadora, leu, gostou e foi até ela para gravar uma pequena entrevista e me mostrar. De volta, quando colocou para mim o vídeo de pesquisa, não demorei nem cinco minutos, literalmente, para aprová-la. Gostei muito. Olhando Viviane naquelas imagens da pesquisa consegui ler em seu sorriso, aliás um vasto sorriso, que seria um feliz encontro.

Passou mais tempo. Já era início de primavera e, num dos dias de mais sol e calor, atravessamos a cidade para encontrar Viviane. Cheguei antes da Cissa. Eu e nossa equipe fomos recebidos por ela, sua mãe e seu noivo. Com um vestidinho de verão e um cheirinho de café no ar, Viviane nos abraçou, nos apresentou e nos convidou para subir. A mesa estava posta com sucos, bolachas e frutas. Todos se sentiram muito bem-vindos. Minha intuição ou, melhor dizendo, minha fé não falhou. Eu estava certa e feliz com isso. Já de cara me sentia junto aos meus, acolhida.

Quando cheguei, Tissa veio correndo reforçar de que a história era forte. Sim, eu já sabia. Fui preparada. Naquele dia, quando acordei, rezei bastante e pedi a Nossa Senhora, a Nossa Mãe toda-poderosa, para nos proteger.

Viviane é professora de educação infantil e bailarina. Com uma carinha de menina, logo nos primeiros minutos de conversa, me surpreendeu ao me mostrar ser, na verdade, uma mulher madura que superou a morte de seu primeiro e único filho ainda bebê.

Cresci em uma família pouco religiosa, não praticante. Meu contato mesmo com a igreja foi em algum casamento, mas, quando fiz 7 anos de idade, vivi um importante episódio com o mundo espiritual. Minha mãe me encontrou regando uma planta, da minha tia, que havia acabado de falecer e disse que eu conversava, ao mesmo tempo, com alguém que ela não podia ver. Conversava era mesmo com minha tia e sabia que, se eu contasse com quem estava falando para minha mãe, nunca mais a tia apareceria para mim. Mesmo sem eu falar nada, minha mãe ficou um pouco assustada com aquilo e resolveu me levar ao centro espírita, Lar Frei Luiz, para um tratamento, a fim de que eu pudesse saber como lidar com aquele dom. Frequentei o centro e, durante um ano, recebi uma ajuda para controlar minhas visões. Nunca mais vi minha tia. Porém, assim que sumiu, apareceu uma criança. Um menino que passou a me acompanhar em todos os lugares, na escola, nas festas, em casa. Ele era o meu melhor amigo. Eu não sentia medo e muito menos lhe pedia para ir embora. Gostava da sua presença, assim nunca me sentia sozinha. Ele estava sempre por perto. Ele me pedia pra cuidar dele e eu cuidava, me pedia para brincar com ele e eu brincava. Em alguns momentos eu o sentia um pouco preocupado, ou então um pouco assustado, com medo. Fui crescendo e outros interesses foram aparecendo em minha vida e acabei me distanciando um pouco da religião. Mas o garoto nunca desapareceu. Sempre ali, ao meu lado. Então, entrei em uma fase sem um relacionamento muito próximo de Deus. Até que em 2006, tenho certeza de que o Sagrado começou a me acolher e a me preparar para o que estava por vir em minha vida. Eu dava aulas de dança e nesse mesmo ano peguei uma turma de crianças especiais. Aprendi muito com eles. Pude ver que somos, sim, todos iguais e que precisamos e queremos ser cuidados. Não há nada de errado em ser diferente. O diferente talvez seja o normal.

A cada detalhe que contava de sua vida, seus olhos brilhavam. Todos nós estavámos com os olhares voltados para ela. Eu não tinha dúvidas de que estávamos diante de uma moça feliz. Uma moça que gostava de dançar e um dia sonhou em ser bailarina... Em viajar para longe.... Em voltar para perto...

Naquele mesmo ano, meu sonho tornou-se realidade. Havia passado numa audição e, com isso, conseguido a oportunidade de viajar para a China com a minha arte, com a minha dança. Seriam três meses viajando com uma companhia de dança. Tentei esconder ao máximo do meu namorado na época (hoje meu noivo) pois sabia que ele me pediria pra ficar e que, se eu fosse, com certeza terminaria comigo. Faltavam apenas três meses para eu viajar, quando percebi que minha menstruação estava atrasada. Não podia nem passar perto do meu pensamento a ideia de estar grávida, não podia. Tentei escapar do momento de fazer o teste, achava que desceria antes, mas não teve jeito. Precisava ter certeza. Comprei o teste de farmácia, entrei no banheiro e fiz. Sim, eu estava grávida. Estava em casa sem meus pais, apenas com meu irmão. Caí em seus braços completamente aos prantos, desesperada. Confesso que rapidamente veio a ideia de abortar, mas isso não estava certo, estava totalmente longe dos meus princípios, não havia lugar para aquela possibilidade em meu coração. Mas e o meu sonho? E meu pai? Meu pai ficaria uma fera comigo. Meu Deus, estava tudo acabado. Então, tomei uma decisão. Para que eu realmente não fizesse nada errado com aquela situação, decidi logo contar, pelo telefone mesmo, ao meu namorado, que imediatamente contou para a mãe dele, fazendo, em seguida, a mais linda das declarações de amor. Tive a certeza naquele mesmo instante de que teríamos aquele bebê juntos. Pronto. Era isso que importava naquele momento. Apenas eu, ele e o nosso filho.

Grávida, Viviane teve que reorganizar toda sua vida. E, desde então, nunca mais viu aquele menino. Nunca mais viu aquela criança que aparecia e desaparecia, que vinha brincar com ela, e a quem só ela via. Fiquei pensando nisso por alguns segundos e fui interrompida pelo fotógrafo pois precisávamos cortar para trocar o cartão de memória da câmera. Aproveitei para respirar. Não nos demoramos. Respiro novamente e retorno.

Quando fiz o meu primeiro ultrassom e escutei o coraçãozinho do meu filho batendo, foi imediato, senti a presença de Deus comigo. Na verdade, Ele sempre existiu e estava ali, dentro de mim o tempo todo, me mostrando, dando sinais, eu que estava um pouco distante e não podia escutá-lo. Miguel, meu filho, me fez descobrir, ainda na minha barriga, que Deus está em tudo, em absolutamente tudo. Na natureza, nos relacionamentos, em cada manifestação de amor. Ele é imenso. A cada dia que a minha barriga ia crescendo, eu me aproximava ainda mais de Deus. Quando estava no sétimo mês de gravidez, levei um susto. Estava quase pronta para parir e foi necessário ficar totalmente de repouso em casa. Uma fase muito difícil pra mim já que sou extremamente agitada e, na época, ainda dava aula em algumas escolas. Mas cumpri direitinho o pedido médico. Meu amor e cuidado com Miguel me ajudaram. Porém, mesmo com atenção, aos oito meses de gestação, os médicos resolveram fazer uma cesária e retirá-lo antes da hora, para não corrermos o risco de perdê-lo. Meu filho nasceu bem, mas foi logo levado para a UTI e, aparentemente, ficaria apenas em observação. No dia seguinte, fui conhecê-lo mas ele estava dormindo. Os médicos disseram que ele teve uma pequena abertura no pulmão direito e que foi necessário colocar um dreno mas que logo a anestesia passaria e ele acordaria. Um mês se passou e Miguel não acordou. Uma bateria de exames havia sido realizada, e foi revelado que ele tinha uma doença chamada síndrome hipóxico-isquêmica grave, uma paralisia cerebral. Não sabiam me informar ao certo se Miguel nasceu assim ou se houve algum problema no parto. Percebi na mesma hora em que ouvi o grave diagnóstico, que não adiantaria nada ir atrás de algum culpado, pois seu quadro era irreversível. O melhor que eu podia fazer era arregaçar as mangas, abraçar a causa e cuidar do meu filho. Orei muito a Deus, aceitei o que Ele estava me entregando e fui à luta. Uma luta dura. Praticamente morei durante seis meses na UTI.

Ao ouvir essas últimas palavras, aquele desespero do diagnóstico, o sofrimento todo que Viviane estava prestes a enfrentar, não aguentei e interrompi a entrevista, emocionada. Precisava dizer para a Cissa ali mesmo, naquela sala, como agora eu entendia sua capacidade de superação. Quando escolhi contar a história de Viviane e apresentei a pesquisa feita para Cissa dar sua aprovação, não tinha percebido toda a história que iríamos contar. Não era simplesmente a história de uma mãe que tinha perdido um filho ainda bebê. Era também a história de uma mãe com um filho recém-nascido numa UTI. Tive dois filhos, tenho os dois ainda comigo. Mas sei bem o que é uma mãe e um filho em uma UTI. Passei por isso e não quero lembrar. Não tenho a força da Cissa. Estava devastada. E ao mesmo tempo com uma vontade enorme de aplaudir e abraçar a Cissa por sua força e dignidade nessa travessia de algumas tantas histórias parecidas com a dela. Eu não suportaria. Não suportei.

Respirei fundo e agradeci aquela declaração da minha Tissa querida. Não me sentia assim tão forte. Aprendi com o programa a escutar de um jeito bom. E me sentia, acima de tudo, apta a fazer aquela travessia.

Enquanto Viviane descrevia seu dia a dia com seu filho no hospital, eu pensava no meu... Bem longe de onde ele não gosta de estar. Bem longe de qualquer mal que ele possa portar. Penso nele como está: grande, forte, intenso, alegre, levado... Penso nele com seu coração oscilante, mas vivo. Muito vivo! Silencio meu alívio. Silencio meu medo. Nem me lembro mais de minha dor. Me silencio. E no meu silêncio me agarro firme a Deus e a minha Santa Filomena. Respiro de novo e volto a escutar Viviane.

Os médicos tinham que praticamente me "expulsar" muitas vezes para descansar, já que eu optava por ficar ali, cuidando e fazendo todos os procedimentos que os médicos e enfermeiras faziam em Miguel. Tornei-me conhecida no hospital, a minha determinação era admirada tanto pelos funcionários quanto pelas mães que estavam passando pela mesma situação, ou até por situações menos graves, mas não conseguiam aceitar. Virei um exemplo pois sabiam que meu caso era grave. E sabiam também que eu não desistiria. Recebia diariamente cartas de meus alunos, de pacientes e acompanhantes, recebia muito amor e apoio. Todas as vezes que eu deixava o hospital, agradecia a Deus por mais aquele dia, mais aquela oportunidade de ficar com meu filho e que, se no dia seguinte, Ele me permitisse que o encontrasse novamente, eu seria muito feliz.

Algumas vezes, Viviane saiu, voltou e reencontrou com seu filho. E todas essas vezes ela foi muito feliz. Mas chegou um dia em que acabou.

Miguel morreu em meus braços. Logo que se foi, por alguns segundos, senti uma paz absoluta em meu peito. Senti uma gratidão profunda por Deus ter permitido que ele ficasse comigo todo o tempo possível. Depois da minha perda, voltei a frequentar o centro espírita kardecista, onde me dão orientação, conforto e a certeza de um reencontro. E foi lá também que entendi que o garoto que aparecia pra mim durante toda a minha infância até eu engravidar era Miguel. Ele já estava me preparando, juntinho de Deus, para o que íamos passar juntos. Deus provou para mim a minha força em eternizar o meu anjo, tatuei na batata da perna a imagem de Miguel deitado na palma da mão de Deus. É exatamente assim que eu o imagino quando fecho meus olhos todas as noites antes de dormir. Ele foi o meu dom, que manifesto com um sorriso estampado quando cito o seu nome. Hoje, sinto-me abençoada e agraciada por Deus, por ter sido a mãe de Miguel, "o enviado por Deus".

Olhei em volta e nossa equipe toda estava emocionada. Quanta força, quanto exemplo, quanto dom de amar, de aceitar e de sorrir para Deus e para a vida. Mais um anjo Miguel! Lembro-me do meu Miguel que me fez rir na dor.

Lembro o quão transformador pode ser o amor, o quanto transforma a dor. Viajo, voo alto, vou para longe. Volto meu olhar para trás. Volto no tempo. Vejo ao longe uma criança, sem brincar. Chego perto de um menino triste. Estamos em Juiz de Fora, Minas Gerais, em meados de 1945. Na casa de uma avó, um menino negro, bonito, de mais ou menos uns 3 anos, fica sentado na porta vendo os carros passarem ao longe, com um olhar triste, perdido. Fica assim um dia, depois outro, mais outro... Cai a tarde. Vem a noite. Chega o amanhã. Termina. Começa tudo de novo: manhã, tarde, noite... Passa-se um mês. Outro. Passam-se mais alguns meses e chega um dia bom.

Eu tinha menos de 2 anos quando a Maria do Carmo, minha mãe biológica, faleceu. Ela trabalhava para a Lília aqui no Rio. Fui para Juiz de Fora porque minha mãe morreu e a Lília se casou com Josino, iam morar em Três Pontas. Fui para a casa da minha avó, em Juiz de Fora eu ficava como se estivesse com saudades da África. Sentava na casa da minha avó e ficava vendo os carros passarem, esperando que um carro verde parasse. Era bem tratado, mas não comia, eu não estava bem. Um dia, acho que vou escrever um livro sobre minha história com a Lília. Três meses depois de se casar e ir para Três Pontas, ela falou para ele: "Zino, nós vamos ter que ir a Juiz de Fora porque o Bituca não está bem." Os dois lugares são distantes... Ele respondeu: "Vamos." Eles vieram para o Rio, pegaram o carro verde emprestado, de quem mais tarde eu conheceria como meu avô, e foram me buscar.

Eu estava muito contente de o Milton, que tanto admirava, ter aceitado contar sua história de fé para a gente. Um dia me veio a ideia de convidá-lo, pois sabia que ele teria muito a dizer. Liguei e pedi para chamá-lo ao telefone e, quando expliquei o que era, ele prontamente aceitou e já foi me dizendo que dias teria livres para marcarmos. Dez dias depois desse telefonema estávamos em sua casa.

Adorei conhecer o Milton Nascimento por meio de seu jeito simples de contar as histórias da sua vida. Naquele dia, Milton mostrou que também adorava contar histórias, que tinha alma de mineiro e um jeito peculiar de encadear os fatos.

Foi realmente como se estivéssemos todos numa casa de campo ouvindo um tio nos contar seus *causos*. E agora aqui, pensando bem, acho que a melhor maneira de recontar as histórias do Bituca é deixando-o dizer a seu modo.

Estudava em colégio de padre, como em qualquer cidade do interior de Minas Gerais. Católico mesmo. Cresci e comecei a entender as coisas melhor. Nunca tinha entrado em um centro espírita até os meus 20 anos mais ou menos. Aí, um amigo me convidou para levar balas para São Cosme e Damião em um centro. Fui com ele e nunca tive problema com isso. Entregamos e desceu a entidade. Foi a primeira vez que vi uma entidade. Saí e fiquei do lado de fora do centro e, às vezes, olhava para ver o que era. Uma senhora me disse: "Hoje não tem consulta. O pai João veio para brincar com as crianças." Eu fiquei lá, mas me deu um negócio que eu comecei a pensar: "É interessante, isso vai sobrar pra mim." Fiquei olhando e ele começou a andar, colocou a mão no ombro de uma moça, mandou ela ir para um lugar; nessa hora, saí e espiei pela porta. Não adiantou nada. Ele foi lá fora e falou pra eu ir pra lá. Foi em São Paulo. Ele falou que eu era muito triste e que não poderia ser triste daquele jeito porque as pessoas iam precisar de mim. Ele começou a falar um monte de coisas e de repente me perguntou que dia era. Eu respondi. Ele disse: "Daqui a três meses vai ter uma coisa na sua vida que vai mudar tudo, essa tua tristeza vai sumir."

Exatamente três meses depois, eu estava no Maracanãzinho cantando "Travessia" no Festival da Canção. Eu mexi muito com cinema e fui fazer um filme com o Ruy Guerra lá em Ilhéus bem mais tarde. Estávamos na praia, começou a sair uma lua no mar, uma coisa linda. Não sei o que me deu que comecei a entrar pelo mar. O mar lá não é como o mar do Rio de Janeiro, você consegue seguir andando. Andei, andei... Alguma coisa estava me chamando lá. Uma hora eu meio que acordei e olhei para trás e as luzes estavam bem pequenas, eu tinha andado muito. Voltei, demorei a chegar.

No dia seguinte, a Norma Bengell foi fazer uma participação no filme, desceu do avião com um recado para mim: "Tem um pessoal querendo falar com você lá no Rio." Eu não sabia o que era, quando cheguei aqui no Rio tinha um grupo formado para me acompanhar que era o Som Imaginário. Já estavam ensaiando, só estava faltando a minha presença. E eu pensei: "Meu Deus, que coisa." Isso por enquanto é o espiritismo, né? Fizemos o show, tocando uma música chamada "Pai grande", quando comecei a cantar, numa quinta-feira, começou a sumir todo mundo da plateia e os músicos. Eu tinha uns espelhos na roupa e comecei a ver os espelhos na parede, mas nada me assustou. Ouvia a minha voz mais num eco do que a minha voz vinda de dentro. Quando a música acabou, todo mundo apareceu, alguém me disse: "Rapaz, como você dançou. Dançou bonito pra caramba." Eu não me lembrava de nada. Teve também um casamento espírita em que fui o padrinho e, na hora que acabou, a entidade me disse: "Ei, irmãozinho, tudo bem com você? A gente tem te visitado." Respondi: "Eu sei." "Sabe mesmo? Quando?" Falei: "Na quinta-feira no show quando cantei 'Pai grande'." Ele respondeu que não tinha sido só naquela vez. Aí, contei o que aconteceu em Ilhéus, no mar. Ele disse: "É, tomamos sua atenção mesmo. Você só não pode ter medo das coisas. Você vai ter um centro, então o que vier a acontecer é uma preparação para seu centro." Voltei pra casa e não estava muito bem com a Igreja Católica, não. Pensei: "Não estou mexendo com religião nenhuma, como vou ter um centro?"

Passaram alguns dias e fiquei com um problema na cabeça, fui a uma mãe de santo que o pessoal do Dori Caymmi me recomendou. E viemos aqui, para o Itanhangá, onde tem uma cachoeira. Ela colocou a oferenda e começou a cantar umas músicas lindas, as mais lindas que já ouvi na minha vida. Eu não entendia nada e perguntei: "Você não vai gravar um disco?" Ela olhou para mim e disse: "Se você me ajudar." Quando acabou tudo já era candomblé. Ela falou a mesma coisa que o outro falou: "Não tenha medo, não, você vai ter um terreiro." Fui para casa pensando que ia ter um terreiro e não sabia mexer com aquilo. Aconteceu alguma coisa que voltou o lance da Igreja Católica também. Na época da ditadura, a gente começou a viajar pelo Brasil com os estudantes, porque não queriam que eu cantasse no Rio. Fomos a uma cidadezinha que tinha um ginásio e que eles nunca pensaram que um artista poderia passar por lá. Comecei a cantar e de repente vem uma luz amarela da plateia, muito forte. Olhei para as pessoas e os seus olhos estavam brilhando. Encostei a cabeça na parede do palco e falei: "Como posso ser tão burro? Centro, igreja, terreiro é o palco, são as pessoas." Chorei pra caramba e a partir daquele dia o palco passou a ser a coisa mais importante da minha vida. Completamente sagrado. Uma coisa muito forte, muito linda.

E, desde então, é nos palcos da vida que aquele menino que um dia foi triste se fez homem e fortificou sua fé.

Acho linda a maneira prosaica que Milton escolheu de encadear os acontecimentos de sua vida para nos contar sobre seu jeito de viver com fé. Juntou o seu cantar à sua fé. Para isso foi buscar em suas lembranças os sinais que recebeu de que o palco era seu terreiro, as pessoas da plateia, seus fiéis seguidores, e o seu canto, sua oração.

Fé e arte andam juntas porque uma não existe sem a outra. É natural. Canto para as pessoas, o palco é onde me comunico com todo mundo e onde Deus me faz forte para falar, viver certas coisas. Acho que a fé é a base de muita coisa.

Milton se cala. E, como em oração, canto bem baixinho para meu o coração escutar:

Maria, Maria
É um dom, uma certa magia
Uma força que nos alerta.

Uma mulher que merece
Viver e amar
Como outra qualquer
Do planeta.

Mas é preciso ter força.
É preciso ter raça.
É preciso ter gana sempre.
Quem traz no corpo a marca
Maria, Maria
Mistura a dor e a alegria.

Para terminar, como se o meu coração escutasse o da Cissa, continuo a cantar também, baixinho, como em oração para os nossos corações escutarem:

Mas é preciso ter manha.
É preciso ter graça.
É preciso ter sonho sempre.
Quem traz na pele essa marca.
Possui a estranha mania
De ter fé na vida...

FÉ NO COMPARTILHAR:

UMA TEOLOGIA QUE ILUMINA

Leonardo Boff

Desde pequena tenho o costume de subir a serra para Petrópolis. Uma das minhas bisavós era de lá. Meus avós sempre tiveram uma casa de campo, onde a família se reunia, as histórias aconteciam e as crianças cresciam. Na Fazenda Inglesa aprendi a chamar Deus quando, antes de dormir, me assustava com algum barulho lá de fora ou mesmo com o simples badalar de um enorme relógio que meu avô tinha no alto da escada e cuja música sei perfeitamente entoar. Mas, depois de certa hora, o som intercalado de seu badalar me assustava e não me fazia cantar. Na Fazenda Inglesa eu aprendi a rezar, a ir à missa, a acreditar e a desacreditar em Papai Noel. Isso faz muito tempo. A casa ainda está lá, a família também. Havia tempos eu não subia essa serra da minha infância. E quando subi foi com a Cissa para encontrar um homem que tem cara de Papai Noel e que pode ser considerado tão ou mais iluminado que o bom velhinho. Seu nome de nascimento é Genezio Darci Boff. Só que ele sempre foi conhecido como Leonardo Boff.

Na verdade, tive que convencer a Tissa a incluir o Boff em nossos encontros. Ela tinha uma visão simplista dele. Ainda estava presa às leituras mais rasas sobre teologia da libertação. Teologia política na qual Boff foi o grande expoente aqui no Brasil e que marcou tanto sua trajetória. Eu, contudo, sabia que ele tinha um dizer sobre fé que iria muito, mas muito, mais além do que todo e qualquer dizer da teologia da libertação. Ele era um sábio e pelo meu entendimento também um místico. Só que ela tinha dúvidas.

Estudei ciências sociais na PUC-RJ, uma universidade católica de jesuítas que tem em seu quadro de professores um grupo forte de teólogos ligados a esse movimento de teologia política. Mas eu tinha algumas ressalvas. E, como entendia a teologia da libertação como sendo o canal para uma percepção da fé cristã e religiosa mais política e social do que propriamente mística, achava que não era o momento de falar a respeito no programa. Mas a Cissa queria e tinha uma intuição diferente. E eu já tinha aprendido havia tempos que, quando ela intuía algo com ainda mais veemência que sua habitual veemência, valia a pena ir atrás. Embarquei na vontade dela.

Embarcamos juntas rumo às redondezas de Petrópolis para encontrar Leonardo Boff.

Durante a viagem, mais de uma vez, alguém da nossa equipe que já estava lá fazendo imagens de coberturas dele, sua casa e rotina, ligou para relatar algum encantamento em relação àquele senhor. Tissa desligava, me contava e eu apenas lhe respondia com o olhar. Com aquele olhar que só a vida pode nos fazer capaz de portar, um olhar de confirmação e contentamento também por ela estar aberta a me escutar.

Para chegar à casa do Boff tivemos que passar em frente à entrada da Fazenda Inglesa, e olhar aquela entrada trouxe a mim um turbilhão de memórias afetivas e, ao mesmo tempo, me ajudou a relaxar frente ao novo encontro que estava por chegar. A alegria de me reconhecer no caminho, nas hortênsias do caminho, no brilhante filete d'água que corria na montanha distante, nos cheiros, nas cores... tudo isso fez com eu deixasse minhas ressalvas de lado. No fundo, nunca tive dúvida da honra que seria conhecer um senhor tão digno.

Também podia reconhecer aquele caminho. Também estava num espaço de boas lembranças de vida, de família. Mas, ainda assim, continuava um pouco aflita. Falar sobre fé com Leonardo Boff era uma responsabilidade.

Havia me preparado bastante na noite anterior. Entretanto, tudo parecia mudar dentro de mim. A cada quilômetro percorrido, mais eu tinha a certeza de que seguiria outro caminho e buscaria falar mais de vivências do que de experiências.

A casa dele era bastante escondida, mas as dicas do caminho eram tão precisas que não encontramos nenhuma dificuldade em achá-la. E, quando atravessamos o portão de ferro verde, tudo pareceu ainda mais familiar. A casa tinha um grande jardim com um caminho de pedra na lateral, um laguinho com uma ponte do outro lado, muitas hortênsias, um ipê amarelo e orquídeas. Belas e coloridas orquídeas. Assim que saí do carro um senhor, andando a passos largos e, ao mesmo tempo, vagarosamente, de cabelos e barbas brancas e sorriso acalentador, veio em minha direção, me recebendo com um abraço daqueles que envolvem. Um abraço de quem é gente de verdade. Eu me entreguei e toda a aflição passou. A partir daquele instante, me deixei conduzir sem receio algum, com a certeza de que aquele encontro seria prazeroso.

Logo ao chegar, vejo minhas defesas se diluírem. Foi só meu olhar se encontrar com o dele que imediatamente me senti constrangida por ter, em algum momento, pensado duas vezes a respeito daquele encontro. Agradeci por nos receber, me desculpei pela bagunça que já havíamos feito e pela que ainda faríamos. Pensei em Deus. E, assim que entrei na sala de estar, bati o olho numa edição belíssima do *Livro vermelho de Jung* e uma imagem de barro de São Francisco de Assis. Pronto, meu coração estava ganho.

Fomos para o escritório de Boff e, no meio de estantes repletas de livros, imagens de santos, fotos de família e com uma vista para o infinito das montanhas, ele gentilmente nos fez viajar por sua história.

Tive uma formação muito curiosa porque sou de uma família italiana, nós falávamos italiano em casa. A minha mãe era analfabeta e meu pai, professor de escola, formado por jesuítas, mas muito anticlerical, nos ensinou a ler a Bíblia em vez de frequentar a igreja. Cresci com uma fé "ilustrada" e, quando fui ao seminário com 11 anos, disse que o Papa deveria ser retirado do Vaticano e colocado junto com os pobres, porque Jesus era pobre. Quase fui expulso do seminário. Foi uma formação muito profunda porque toda a região italiana era muito religiosa, frequentávamos a capela. Meu pai infundiu esse sentido não de igreja, mas do cristianismo, de Jesus. Igreja para ele era coisa dos padres que viviam brigando com os vizinhos que eram os pastores luteranos. Nós crescemos e grande parte da minha formação posterior e mesmo os conflitos que tive mais tarde com as instâncias do Vaticano tiveram suas reminiscências lá atrás. A fé já era crítica, mas ao mesmo tempo cristã e ligada à Bíblia. Mas tomei distância de tudo que era instituição, festa de povo com muita comida e dominação dos padres, principalmente os alemães, que eram muito duros.

Escutar Boff nos contar sua história reconhecendo suas origens e raízes era um privilégio. Na frente da Cissa não estava o intelectual de esquerda, pensador e militante da teologia da libertação, professor titular e escritor renomado. À sua frente estava um homem como outro qualquer, de coração aberto e disposto a compartilhar suas histórias e seus pensamentos. Depois que resolveu largar a batina e deixar a ordem da qual fazia parte, Leonardo se casou com Marcia, com quem foi morar em Petrópolis. E é desse lugar que ele olha para trás, relembra e escolhe quais os momentos do seu viver que vale pinçar para nos contar quem é, como está e quem já foi. Começa revelando que entrou para o seminário meio por acaso. Mas não por um acaso qualquer, e sim pelo acaso de Deus.

Eu, na verdade, queria ser motorista de caminhão, porque na região em que morávamos, lá no interior de Santa Catarina, era só mato. Estavam abrindo a estrada. Passavam por lá os caminhões monstros e a coisa que eu mais gostava era de sentir o cheiro da gasolina. O curioso é que chegou um padre lá em nossa capela, para celebrar a missa. Era um carioca e falou sobre Francisco. Ele perguntou: "Quem quer ser franciscano?" Sem brincadeira, nunca pensei em ser, senti um fogo dentro de mim e ergui o braço. Ele pegou meu nome e comecei a chorar. Nunca pensei em ser frade. E, como era costume do padre almoçar na casa do professor, ele foi almoçar lá em casa. Fugi até que meu pai foi atrás e eu disse que queria ser motorista de caminhão. O padre disse que já havia tomado meu nome e que eu ia ser frade. Entrei no seminário por conta disso. Acho que foi um chamado, pois, olhando agora para aquela fase da vida, deve ter havido alguma coisa ali para eu arrumar confusão com o Vaticano. Chegar com a teologia da libertação e com coisas que iam mover um pouco a sociedade e a Igreja, gente da minha geração. Começam com pequenos símbolos, mas acabam ganhando relevância, depois que tudo passou. Você olha para trás e vê uma semente, que contém o tronco, copa, folhas, tudo. Somos uma semente e Deus cuida para que não apodreçamos ou não nos percamos.

Toda e qualquer história de vida é feita desses começos, pequenos símbolos que, com o tempo e com a mudança de visão, são postos em uma nova relação. Ganham outros significados. Adoro ouvir essas histórias e tentar perceber o campo de sentidos a partir do qual a pessoa seleciona os fatos, pinça as lembranças, refaz os caminhos e reinventa a si mesmo.

Nunca tive medo de me reinventar.

Também nunca conheci esse medo. Se o tivesse, jamais teria escolhido a profissão que escolhi. Ser atriz me permite exercitar essa ideia de reinvenção de forma lúdica e fantasiosa. É como ter o passaporte carimbado para se reinventar e a licença poética de fazer a seu modo.

Boff segue na vida se reinventando. E, pela forma com que me conduzia por sua história, não deixava dúvida de que optara por percorrer um caminho de mais humanidade do que santidade. Desse jeito trazia nosso olhar para bem perto da sua verdade. A verdade de um homem sem medo de ser e estar no mundo de cá e de lá, sendo leal às suas convicções e digno de sua fé.

Profundo conhecedor das ciências do homem, quando jovem foi estudar na Alemanha. Estudou tanto a teologia católica quanto a protestante, mas também filosofia.

Fiz o doutorado em Munique. Foi uma experiência importante. Cinco anos e mergulhei na importante cultura alemã, com grande literatura e mestres na teologia. Acabei estudando as duas crenças: a protestante e a católica. Simultaneamente, fazia filosofia. Voltei com um cabedal muito grande e fui professor durante 22 anos, aqui, em Petrópolis, formando estudantes. Eu fui um dos diretores da editora Vozes, dirigia duas revistas e, sem brincadeira, desde 1970, quando voltei, até hoje nunca deixei de fazer três coisas: dar aula, viajar dando palestras e cursos, e escrever. Estou há mais de quarenta anos (fiz cinquenta anos agora de teologia) e já estou cansado porque é muita coisa. Mas tenho o hábito de compartilhar e não sei se consigo continuar sem isso.

Cissa concorda que ele ainda tem muito a compartilhar e comenta, com sua espontaneidade e frescor: "Você é muita coisa, vejo em você coisas que não dá para ficar só com você. É muita efervescência."

Falei aquilo com minha alma. Estava embevecida com sua fala, sua capacidade de conexão, clareza, simplici dade, com sua amargura, cansaço, pesar, perseverança, compaixão. E, principalmente, com sua grandeza e coragem.

Acho que foi o compartilhar dessa coragem que me inspirou a perguntar-lhe se tinha alguma lembrança de em algum momento, em algum lugar, ter perdido a fé e deixado de acreditar um pouco, se rebelado ou se revoltado com Deus.

Não gosto muito de falar sobre isso porque é algo muito biográfico e as pessoas podem usar contra mim. Mas, quando fui estudar na Alemanha, conhecia a teologia daqui, escolástica, séria. E, lá, aprendi a teologia alemã protestante e católica, que são outros paradigmas. Era ponto da teologia mundial europeia, e entrei em uma profunda crise. Perdi o que eu tinha e não tinha, o novo. Passei meio ano achando que Deus não existia e achando que deveria desistir da teologia e tentar biologia. Comprei até um microscópio, que me afetou até hoje porque passava noites e noites olhando através dele aquelas monstrinhas na água podre que eu recolhia. Depois, fui levando a sério a teologia, aprofundando os novos conhecimentos e descobrindo pontos de referência, mais duros, como uma leitura em braile em que alguns itens ficam mais sensíveis. Cheguei a ponto de dizer que eu mesmo era Deus. Era como Darcy Ribeiro dizia: "Se Deus existe, por que não eu?" Naquela confusão toda eu disse: "Talvez Deus seja nossa última profundidade." Até que li o nosso grande místico alemão Eckhart, o maior místico cristão, que foi condenado – todo místico bom é condenado – e que é muito parecido com a mística oriental do zen-budismo, Suzuki. Conhecia profundamente o mestre Eckhart, lia-o e até o traduzi para o português. Ele fala do Deus interior, daquela chamazinha que nunca devemos apagar, mas sempre alimentá-la e que é tão próxima a você que é você mesmo. Ele diz: "Deus é você pequeno, como essa chama, e também é grande como o calor dela." Então, pensei: "Deus sou eu, eu sou Deus." Cheguei a formular isso, o profundo do ser humano. É o mistério inefável, isso é o que chamamos Deus. Ele não está longe de nós, de forma alguma, é nossa radicalidade e profundidade. Temos o corpo – estou diante de você, temos interioridade –, o mundo psíquico com demônios e anjos morando lá dentro, temos o profundo, que é aquela chama onde você sente que há uma presença no universo, nas pessoas, um fogo qualquer que te faz viver, isso para mim é Deus. A partir daí, Deus não era mais problema para mim, não era mais doutrina também. Ele era uma tentativa de traduzir isso e tirar as cinzas que nossa cultura consumista e materialista nos faz cobrir; essa chama sagrada que temos de alimentar. Ela dá vida, sentido e força para enfrentar, como você enfrentou, crises tremendas. Parece absurdo, impossível, uma flor que nem se abriu e você logo corta, qual é o sentido disso? Então a gente diz: "Deus pode ser aquilo que eu não entendo, Ele é mais do que eu, mas mora dentro de mim." Acolho isso como algo misterioso que não entendo, mas que um dia vou saber o mistério. Essa é a atitude: aceitar e agradecer. Tem gente que aceita e reclama, se rebela, blasfema. A gente está à mercê de uma energia que é maior que nós mesmos e que está dentro da gente. Às vezes é bom chorar diante de Deus. Os salmos reclamam: "Por que deixa que meus inimigos me persigam?" Oseias diz o seguinte: "As blasfêmias que o sofredor dirige a Deus, Ele não entende como blasfêmias, mas como grito e súplica do oprimido." Fico tranquilo porque há crimes e absurdos na vida em que eu digo: "Não pode ser." Quando o papa esteve em Auschwitz visitando aquele campo de concentração do extermínio nazista, apareceu o teólogo, o homem de fé. Ele disse: "Deus, por que Te calaste? Por que permitiste isso?" Não disse: "Nós, nazistas", disse: "Nós, alemães, fizemos tudo isso." Aí falou o salmista. Não dá para entender alguém que bota diante de Deus os absurdos existenciais. É secreto, eu não entendo, mas acolho.

Mais uma vez, fiquei estupefata e maravilhada com a amplitude do que tinha acabado de ouvir no set de gravação do *Viver com fé*.

Olho para Tissa e só vislumbro por detrás do monitor seus olhos bem castanhos e puxados reluzindo, tão alegres. Mostro a ela também com os olhos a certeza que brotara com minha intuição de que tínhamos sim de sonhar e lutar por aquele encontro. Aventuro-me mais um pouco e pergunto: "Você é um teólogo que questiona onde está Deus diante daquela dizimação de milhões de pessoas?"

Vejo isso com sinceridade, como a grande tentação de fé, que não vive sem dúvidas. É como um amigo teólogo do Brasil que esteve no campo de concentração. Viu uma criança sendo enforcada, mas que não morria. E alguém atrás disse: "Onde está Deus?" Ele respondeu: "Deus está naquela criança sendo enforcada." A gente não entende, mas acho que podemos ser generosos e dizer que Deus pode ser mais do que entendemos, não usar a minha razão como critério para enquadrá-Lo. Ele desborda e por isso é mistério. E continua sendo conhecimento. Para o mistério valem apenas o silêncio, a reverência, o respeito, a lágrima e a entrega. Isso é a maior grandeza do ser porque supera a opinião dos gregos, que achavam que o maior defeito do ser humano era a *hybris*, se imaginar o grande atleta das Olimpíadas, o grande artista. E de repente acontece alguma coisa que te faz sentir o limite da existência, que nós somos frágeis, vulneráveis. Por isso, de vez em quando, leio o Salmo 103 porque ele se queixa, se sente abandonado por Deus, e Deus diz: "Eu conheço o pó com que vocês são feitos, a minha misericórdia não tem limites, de horizonte a horizonte, Eu perdoo todos vocês porque são meus filhos." Quando a gente escuta, ficamos consolados. Por mais que eu tenha dificuldades, erros e tal, alguém me aceita como eu sou, porque sabe do pó de que sou feito. E esse pó é cósmico, mas continua sendo só isso. E acolher isso é sentir-se criatura na palma da mão de Deus. Nós estamos na palma da mão de Deus, e para quem está lá, isso tudo que acontece no seu amor. Talvez eu não entenda, mas...

A beleza da verdade do amor incondicional de Deus. Sem me dar conta, sem a Cissa se dar conta, fomos levadas a contemplar e compartilhar essa beleza. É aquele senhor de mais de 70 anos e dono de uma vitalidade de alma como eu nunca antes tinha visto, quem me faz olhar para tudo que estava ali em meu entorno e emanar sem esforço uma alegria profunda de estar ali. Imediatamente agradeço a Deus por ser quem sou, volto meu olhar para o monitor e retorno por inteiro ao meu anonimato, tocada.

O caminhar daquele encontro estava tão solto, tão calmo, que havia muito eu já tinha me despido do medo plantado pela vaidade vã de falar o que não deveria ser falado, de perguntar o que não deveria ser perguntado, de pensar o que não se deveria pensar. Não me sinto capaz. Sinto-me é livre. Inteira. E assim caminho, sem me sentir arriscar. Era nítida a iluminação de Leonardo, e eu queria muito conhecer como e quando ela começou. Perguntei sem rodeios e ele respondeu:

Isso é uma coisa curiosa. Tive a formação que todos os candidatos a padre têm. Muito estudo, latim, grego, formação religiosa mas muito eclesiástica, na qual o papa e a Igreja são o centro. Depois, quando comecei a estudar filosofia, que o faz questionar as coisas, aí coloquei a questão de Deus. Até diria que passei por uma fase de querer negar Deus porque não combina com essas coisas do mundo, essas desgraças. E não pode ser um Deus bom, aquela luta interna minha. Até que, curiosamente, tive uma espécie de iluminação. Senti, como se fosse na minha coluna vertebral, uma presença fortíssima, uma realidade profundamente amorosa, e demorei semanas para recuperar aquela experiência. Recuperava de vez em quando, me escapava de novo. Vivo com saudade daquela experiência. Uma coisa amorosa, acolhida, é uma bem querência, é um estar bem com o mundo, consigo mesmo, sentir-se amado. Não só amar, mas sentir-se amado por Ele, aceito. Experiência que foi graça, porque não procurei, muito pelo contrário, estava em dúvida. E ela me sobreveio não como uma invasão, mas como alguém que te abraça e te leva para o mundo Dele. É uma vocação. Em parte, a minha teologia, sobre a qual escrevi em mais de noventa livros (acho que a metade deles foca na espiritualidade), no fundo, nasce desse transfundo inconsciente meu de que Deus não é uma ideia. Temos que fazer a passagem da cabeça para o coração, pois é ele que sente Deus. Uma teologia sobre a qual escrevo e falo só tem valor se o efeito final for entusiasmo, alegria e elevação da vida nas pessoas. Gosto dessa palavra "entusiasmo" porque ela filologicamente é rica, vem do grego *entheosmos* – ter um Deus dentro (*entheos* é Deus e o *mos* é uma terminação). Então, todo mundo tem um entusiasmo. Levantar cada manhã e enfrentar o ônibus, as dificuldades... Você então sentiu esse entusiasmo superando a crise, essa energia que te invade, que não domina e que às vezes te falta. Você se acerca da depressão e da morte, essa realidade para mim é o Deus interior. Deus verdadeiro. Acho que as religiões vivem desse Deus, não é uma doutrina, não são dogmas. Se dogmas e doutrinas existem, se igrejas e religiões existem, é para suscitar essa chama interior e mantê-la viva e para que as pessoas sintam isso.

Entusiasmada. Assim eu estava. Entusiasmada por existir. Por estar ali. Por apresentar aquele programa. Por ser mãe dos meus filhos. Por ser atriz. Por ser alegre. Por sentir dor e saber apaziguá-la. Por praticar o desapego, gostar de sorrir, não fugir de sentir e ter fé.

Contagiada. Assim eu estava. Por uma descoberta. Por um novo olhar para a vida. Por uma lucidez profunda e um estusiasmo sem fulminação. Por um viver de fato.

Sempre soube que a conversa com o Boff poderia transitar com muito frescor por essa mística da fé. Por isso, não temi nem hesitei em impor minha intuição, pelo que me sinto contente.

Sempre tive receio de empacar em dizeres antigos, em constatações absolutas. Por isso, não resisti em me deixar guiar pela intuição dela. E cá estou, profundamente satisfeita por não ter me apegado às minhas tolas convicções racionais, e por ter aceitado me deixar tocar pelo inesperado. Talvez, essa seja uma sensação de felicidade parecida com aquela que Boff nos relatou de quando teve seu coração tocado por Deus. Também não foi a primeira vez que experimentei essa sensação. Às vezes só a vislumbro. Em outras ela retorna e a recupero. Ela só se faz possível no espaço do que é íntimo, legítimo, do que é repleto de amorosidade e honestidade. Hoje mesmo, nesse dia em que estou escrevendo essas palavras, experimentei-a novamente. E faço minhas as palavras dele: uma coisa amorosa, acolhida, é uma bem querência, é um estar bem com o mundo, consigo mesmo, sentir-se amado. Hoje a sensação de felicidade veio no reencontro, no abraço afetuoso, na alegria do olhar e na intimidade da verdade que me convoca a ser a cada dia um pouco mais feliz comigo mesma. Hoje ela veio em minha sessão de análise. Naquele outro dia veio pelas palavras do Boff.

Ao ler ou escutar relatos de um experimentar ser feliz da ordem do indizível, sou levada a acreditar, cada vez mais e com mais certeza, que a verdade de ser de Deus não acontece fora de uma vivência mística da re-ligação entre o eu e Ele. Lembro-me de uma conversa com a Tissa em que dizia achar muito complicado todos os pensamentos pelos quais se tenta dar conta da natureza divina pela razão. Vou longe. Relembro a perspectiva metafísica, a teologia que surge a partir de Platão, elas todas buscando a compreensão da natureza de Deus pela racionalização do mesmo, e assim, dissolvendo-O em uma natureza outra que não a Sua. Não consigo partilhar desse caminho de pensar. Prefiro seguir outro caminho, junto com o ex-frei Leonardo Boff.

É tão complicado que sempre houve um conflito, desde o começo até hoje, entre razão e Deus. Por quê? Porque o lugar de Deus não é na razão. Isso é o equívoco de toda a cultura ocidental. Não nos pré-socráticos porque eles tinham uma visão da totalidade, mas desde Sócrates, Platão, Aristóteles, os grandes mestres medievais como Tomás de Aquino, Santo Agostinho até os modernos. E aí vem toda a crítica de Marx, de Freud, demonstrando a contradição entre razão e fé; religião e razão. O lugar de religião não é na razão. O ser humano não é só razão, ele é capaz de êxtase, de contemplação, é um ser utópico, um projeto infinito. O lugar de Deus é na dimensão do imaginário, da projeção, da utopia, do sonho, aí é Seu lugar. Porque Ele é a plenitude desse sonho. O ser humano é feito, Freud mostrou isso, de sonho. Toda a filosofia moderna de Bloch em diante fala do princípio de esperança: o ser humano não só tem a virtude da esperança, mas um motor dentro de si que faz com que continuamente queira mudar a sociedade, transformar-se. A esperança como geração de utopias, sonhos, melhorias, e o lugar disso, como a plenitude dessa realidade, é Deus. Então, acho que não se pode juntar mais hoje Deus com a razão. Ele transborda razão para todos os lados, sem uma conclusão final. São Tomás de Aquino tinha uma frase que vale a pena repetir, alguém pergunta se Deus existe e ele diz: "Se Deus existe como as coisas existem, então Deus não existe." Por quê? Porque não é objeto ao lado de outros objetos. Não é a partícula Deus ao lado de outra partícula que eu acho ridículo, ele é a base, aquela fonte a partir da qual tudo emerge. Sustenta tudo, faz emergir tudo, alimenta tudo. Tem caráter de mistério, de inefável, então é melhor o silêncio, como o nobre silêncio do Buda, do que a tagarelice dos teólogos que falam, falam, falam e não dizem. Porque Deus não se pode dizer, e sobre aquilo que não se pode dizer, deve-se calar.

Aceito e acredito. A experiência de escuta daquele encontro em sua totalidade não cabe em palavras, não se limita no possível. Transborda tudo e vai além. Ultrapassa o pensamento. Exarceba o sentir. Também faço minhas as palavras do meu já amigo Leonardo Boff: sobre aquilo que não se pode dizer, deve-se calar.

Ou deixá-lo continuar a dizer, constantemente.

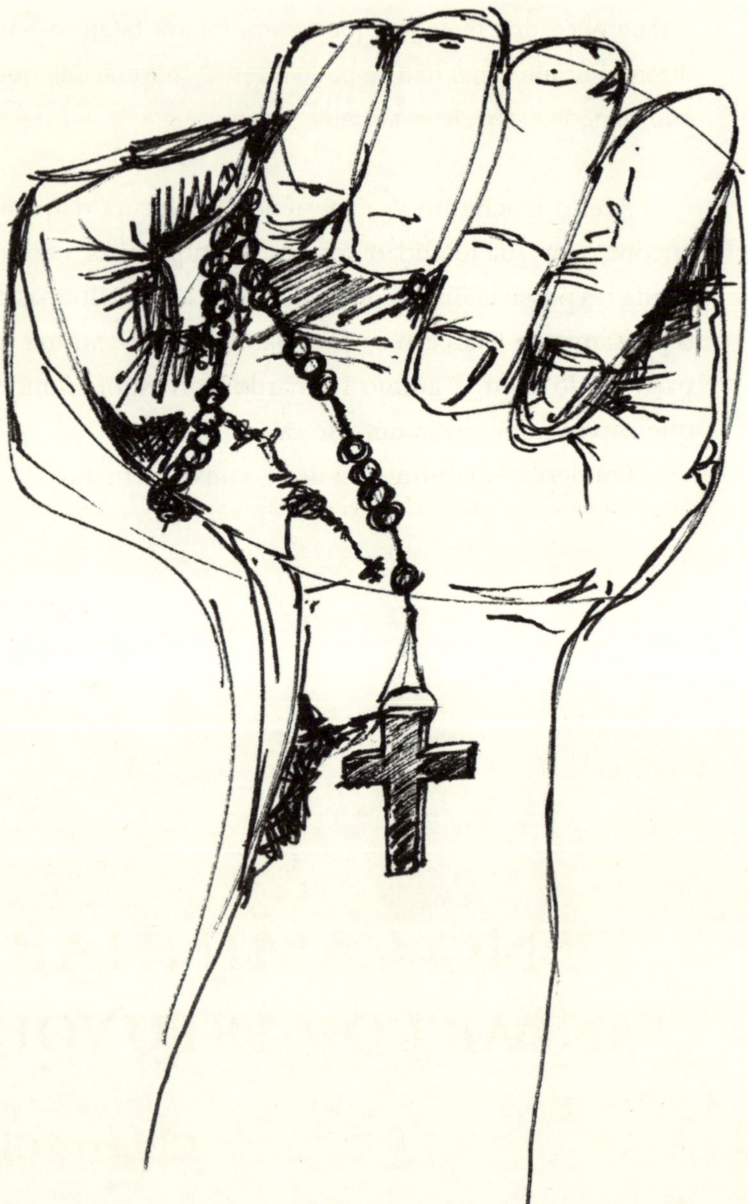

FÉ NO CAMINHAR:
ANDAR COM FÉ EU VOU

Gilberto Gil

Meu nome é Beatriz Gentil Pinheiro Guimarães. Desde muito cedo, entendi que viver com fé seria viver aberta a muitos encontros. Encontros de diversas ordens: com o conhecido e o desconhecido, com o esperado e o inesperado, com o que já fazia parte e com o que já havia partido.

Assim comecei o último episódio da primeira temporada do programa *Viver com fé*. E agora também chego ao último capítulo dessa aventura que foi escrever este livro. Sinto vontade de começar da mesma maneira, só que a voz que lhes conta, reconta e experimenta todos esses encontros não é só a minha. Aqui há a voz dela também.

Eu me chamo Patricia Lovell-Parker Guimarães. Desde pequena, aprendi a rezar e a agradecer a Deus pelos bons encontros da vida. Mas só depois dos encontros vividos no programa, dos quais vários são aqui narrados, é que realmente compreendi o que poderia vir a ser viver com fé.

Escolhemos juntas para o final narrar um encontro que foi emblemático para a nossa história e que no começo nem sequer achávamos ser possível. Mas no qual, com o tempo, passamos a acreditar e, com confiança e ajuda, o tornamos possível.

O encontro ao qual me refiro foi com o Gil. Sim, com ele. O músico. O compositor. Aquele que compôs o que brincamos ser nosso hino e que abre e fecha todos os nossos episódios. Hino que diz: "Andar com fé eu vou que a fé não costuma faiá"

Por causa desse hino é que fui ao seu encontro. Nem era para ser uma entrevista... Fomos lá para gravar o tema da série e fazer um clip dessa gravação. Mas, quando cheguei e deparei com ele, veio à tona toda uma vida de encontros e uma vontade enorme de escutar o que ele teria, naquele momento, a dizer...

Quando surgiu a ideia e a coragem de convidar o Gil para regravar sua música para ser tema da abertura do programa, eu não sabia que ele e Cissa se conheciam tanto. Sabia tampouco que o filho mais novo de Gil tinha sido um dos melhores amigos do filho mais novo da Cissa. E nem que, até aquele instante, Gil não havia conseguido manifestar diretamente a ela o quão sentido havia ficado com a partida desse filho. Só pude compreender a dimensão desse novo encontro entre Cissa e Gil no preciso instante em que ele se deu.

Olhando agora para ele, penso que eu não estava lá só atrás de uma música ou de uma interpretação filosófica da fé. Mesmo sem saber, eu estava atrás de mais uma explicação... Nós tínhamos uma coisa em comum: uma perda. Gil perdeu seu filho, Pedro, num acidente de carro... Rafa e Pedro tinham quase a mesma idade quando partiram.

O Pedrão se foi em 1990. Os anos passam e basicamente o que fica depois de tanto tempo é o afeto e o amor que tínhamos um pelo outro. Eu, como pai, e ele, como filho, no mais é a memória. É um recanto da memória que você escolhe como altar e ali a deposita. Outras memórias você nem deposita num canto especial, mas, no caso de um filho que se foi, essa memória fica tipo nicho. Essa memória são as lembranças, as fotografias etc. Tenho um filme em Super 8 que um amigo fez da gente em Londres quando ele tinha menos de 1 ano de idade, brincando no chão da casa onde morávamos. Ele morreu com 19 anos, mas tenho memória dele desde o momento do nascimento, a cabecinha dele aparecendo... quando nasceu lá em Londres na maternidade de St. Georges. A gargalhada, ele puxou da mãe. Ele era um molecão forte, baterista, de pescoço largo, pois se exercitava e tinha cultura física. Ele era bem protetor das meninas. Pedrão era uma grande figura. Então a religação com ele é permanente através da lembrança e possivelmente também de algum aparato que se instala na nossa interioridade. Pode haver até questões genéticas implicadas nisso, alguma coisa através desse campo que também vai do físico ao espiritual – mas eu diria que é mesmo a lembrança, isso é o que liga mesmo.

E eu completo: quando vivemos com fé essa religação ganha novos e outros significados. Para mim, a fé é muito maior do que qualquer religião. E, depois de caminhar até aqui, no final deste livro, digo sem medo que para segurar com vida e alegria de viver uma perda tão grande como a de nós dois, só com muita fé. Gil partilha desse meu entendimento.

Uma das características básicas da fé é a possibilidade dessa manutenção do elã vital, do gosto de viver, que é no que consiste a fé. No caso dos nossos filhos, por exemplo, nós queremos continuar vivendo por eles, que se foram. Por eles e para eles. Com o intuito de fazer significar e estender suas vidas, nós estendemos a vida em nós, continuando o que foi interrompido. A fé ajuda e de vez em quando eu rezo. Rezo Pai Nosso, faço as saudações dos Orixás, esbarrei em Iansã. Quando o trovão gritou ontem, por exemplo, vieram Xangô e Iansã, que é a rainha dos raios. "Rainha dos raios, rainha dos raios, tempo bom, tempo ruim." E aí vem o nome dela quando o trovão roncou. Tem horas que temos o nosso modo de inserção com a natureza, e assim como nós, ela nos responde, levando-nos ao nome de Deus. Tem horas que a gente precisa dizer o nome Dele. Em outras horas, não, na paz, por exemplo, a gente sente, mas não precisa dizer Seu nome nem evocá-Lo.

Ouvir o Gil falar sempre me fascinou. Começamos a gravar o encontro entre ele e Cissa apenas para documentar o que seria um *making-off* da gravação da trilha de abertura do programa. Mas, quando ela começou a puxar a conversa sobre fé, me peguei escutando e me interessando cada vez mais pelo que falavam. Não me dei conta de que não havia cortado a única câmera que tínhamos aquele dia. E, sem perceber, comecei discretamente a dirigir aquela situação inesperada, falando sempre ao pé do ouvido de nosso fotógrafo e do nosso técnico de som. Graças a Deus fiz assim.

Quando cheguei e vi o Gil foi forte. Foram muitas sensações que vieram ao mesmo tempo. Primeiro me aconcheguei em seu abraço bom. Em seguida, me confortei com seu olhar e me aventurei a pensar junto com ele o que era de fato andar com fé, falar com Deus, compreender tempo bom e ruim. Saber que tudo pode ser divino é maravilhoso.

Gilberto Passos Gil Moreira gosta de cantar: "Eu vim da Bahia, mas eu volto pra lá." Nasceu em Salvador, mas foi criado até os 7 ou 8 anos em Ituaçu, uma cidade do interior, da parte da caatinga do sertão baiano.

Teve sete filhos. Primeiro, se casou com Belina e teve a Nara e a Marília. Depois se casou com Sandra, com quem teve o Pedro, a Preta e a Maria. Sua terceira mulher, Flora, é a mãe do Ben, da Bella e do José, que era muito amigo do Rafa e estava sempre aqui em casa. Depois, Gil teve oito netos. E, como costuma dizer, a família que criou é "fragmentada, mas muito unida".

Minha mãe era cristã católica, acreditava em Deus, no Padre, no Filho e no Espírito Santo. Era praticante, ia à missa, e até hoje, quando pode, ainda vai, mesmo com 98 anos de idade. Meu pai era agnóstico, formação acadêmica, universitária, teve a compreensão da vida por meio da ciência e acabou optando por não ter um Deus, nem uma fé propriamente dita. De vez em quando, ele se dizia agnóstico. Mas penso que, depois de um tempo, a fé se torna um pouco aquilo que minha música diz: "Mesmo a quem não tem fé, a fé costuma acompanhar, pelo sim, pelo não." Está dito. Tenho respeito por todas as maneiras de manifestação da fé religiosa, a começar pela católica, que foi minha originária, da minha família. Então, tinha essa coisa inicial da religião católica, influenciada pelos pais, vizinhança, colégio. Fui estudar em um colégio marista de padres.

Gil já cantou de diferentes formas suas possíveis ligações com o mundo da fé. Se você o conhece como um importante artista brasileiro, já deve ter ouvido falar sobre sua ligação com as religiões afro-brasileiras. Mas essa ligação nunca foi única, e se fez com o tempo.

Quando criança, eu tinha uma admiração pelos irmãos maristas. E, quando a gente vai crescendo, vai tomando contato com as outras formas. No caso do Brasil, as formas baianas, o candomblé, religiões de origem africana que se misturaram com o catolicismo – o sincretismo todo. Senhor do Bonfim é Oxalá. Depois disso tudo, fiquei interessado em estudar as religiões orientais, como o budismo. As filosofias que não são propriamente religiões, mas que têm aquele conjunto de elementos que nos guiam, instruem, e nos dão um senso de regulação, norma, disciplina. Então, a minha fé ficou assim, um apanhado, um mosaico dessas coisas todas. Tenho respeito por elas e por quem, digamos assim, se confina num desses territórios religiosos por vontade própria, por natureza e índole. Mas também tenho muito respeito pelos que não dão nome a Deus. Os que não se sentem com essa necessidade de denominar.

Ele é assim. Ao mesmo tempo em que entende o denominado e acredita na existência de Deus, é curioso e livre. E por ser ele, não denominável por ser amplo, é extremamente sensível e capaz de lançar um olhar muito próprio para tudo o que existe.

Quem não precisa denominar não precisa acreditar. Para você acreditar em alguma coisa você tem que dar nome a ela. Se você não dá o nome, não precisa identificar aquela substância em uma determinada corporificação ou lugar no horizonte do céu; não precisa rotular. Quer dizer, Deus fica como o "Deus desconhecido", expressão clássica de um dos grandes escritores. É como o soldado desconhecido, túmulo dos soldados. Não é ninguém, são todos. É mais ou menos essa coisa do Deus. O agnóstico que não tem religião, que não professa uma confissão, tem isso a seu favor, essa coisa de que ele pode absorver todos os deuses. Em sua "não crença" cabem todos os deuses, de certa forma, embora ele não tenha necessidade de escolher nenhum nome, ou nenhum desses deuses para, digamos assim, se submeter completamente à tutela e à autoridade deles. Deus como autoridade, como alguma coisa à qual você tem que se submeter. Ao contrário, o senso da divindade para esses fica como a amizade, Deus é amigo.

Estava muito difícil para mim ficar quieta atrás das câmeras. E, como aquela gravação havia nascido com um status de não-gravação, em diferentes momentos da conversa deles me fiz presente também com minha voz, como nesse momento. A ideia de um Deus amigo me provocou. Se Deus é amigo, ele não pode ser eu. Um amigo não sou eu, não mora dentro de mim. Só quem mora em mim sou eu. Cissa concordou e questionou: "E, então, como fica essa história da interiorização de Deus?" Seu Gilberto não se acanhou e acendeu luz nova sobre o nosso falar e pensar a respeito de Deus.

Isso também depende muito. À medida que você se desprende de si próprio, a ideia de interiorização muda. Eu cada vez me desprendo mais de mim mesmo. Cada vez quero saber menos o que sou, o que significo, o que importo para os outros. Cada vez mais me atribuo menos importância. Então, a interiorização de Deus vai junto com isso. É aí que está Deus, para mim, exatamente onde já se diluíram quase todas as possibilidades de individuações. Aí fica difícil identificar como uma personalidade, um nome, com uma característica. Se Ele já não é mais um nome, não pode mais ser uma autoridade. Aí Deus não é mais pai, aí Deus é irmão. Você entra na dimensão da fraternidade divina e não mais na autoridade, vira tudo outra coisa. Isso varia também em momentos, em alguns você precisa.

Ainda ontem estava em casa até que, de repente, trovejou e, quando vem o trovão, a condição humana estremece, a autossuficiência fica estremecida e eu sou automaticamente levado a pensar em alguma coisa maior, porque o trovão dá medo, parece ser uma voz de alguma coisa maior, dessa dimensão em que a gente tende a colocar o divino, parece a voz Dele: "Ooooolhe!!!" Por isso eu digo que há variações: há momentos em que você não se sente muito no casulo da natureza, envolvido por ela, e você está ali no meio de tudo, mas como um pássaro, voando num meio etéreo. Porém, quando você vai para o meio denso, essa coisa que o mete na realidade, na coisa telúrica, aí a gente é levado a pensar numa coisa que está mais acima, mais afora, que muitos tendem a chamar de Deus. Muitas vezes o momento lhe propõe o Deus pai e, outras vezes, o Deus paz. O que eu não gosto na fé religiosa é a intolerância com os outros. Eu escolho um Deus e quem não escolher junto comigo... Que Deus é uma forma, um nome, uma determinada configuração de substância nisso ou naquilo, isso é diminuí-Lo muito, um pecado contra a Divindade.

Que maravilha de fala! Quantos matizes variados existem neste pensar! Quantos pensamentos começaram a brotar em mim! Para não me dispersar precisei acionar o dispositivo cortante de meu senso prático. Não tínhamos mais tanto tempo assim e precisávamos da música. Interrompo o papo deles com pesar e conduzo a equipe para nosso foco principal. Mas, no meu íntimo, eu queria mesmo era ficar muito mais tempo ali, alçando voos pensantes com ele. Nem sempre a vida é como a gente gostaria. Tempo bom acaba e, às vezes, somos nós mesmos que devemos acabar com ele. Mas quem disse também que o acabar do tempo é ruim? Um tempo acaba para nascer outro.

Como foi bom para mim esse encontro. Como foi bom olhar nos olhos dele e falar abertamente sobre tudo. Até sobre a nossa dor. Quer dizer, sobre a dor de cada um de nós. Arrisco perguntar se a fé o acompanha em momentos difíceis. Será que ele recorre a ela quando a dor aperta?

Esses momentos acontecem quando estou com ela o tempo todo, ela me ajuda, é bom. Como te falei, a fé é gosto de viver. E como isso é bom! Porque quando você desiste... Por isso falo dos desesperados. Quando digo "a fé também está para morrer triste na solidão", é nesse sentido, porque está lá mesmo no fundo do poço dos mais desesperados. Mesmo que eles obstruam a passagem, o canal, por mais que eles tentem ignorá-la, ela está lá. É isso. Porque Deus também é a graça. Eu já me desesperei – em poucos momentos desta vida, é verdade – mas já senti e vivi o desespero. Eu sou gente.

É isso. Nós nos desesperamos porque somos gente. E é também por isso que somos capazes de não nos perdermos no desespero e de procurar a salvação desse estado de caos interior para além ou para o lugar onde ele se instaurou. E dividir uma dor é também multiplicar a fé. Nos últimos meses, muita gente dividiu suas dores comigo. Teve muita lágrima, claro, mas a dor não era, nem nunca foi ou será, a personagem principal desses encontros, e sim, o que dela nascia. O que brotava dessa dor para crescer, crescer... e se transformar em algo muito maior e mais importante: a fé na vida.

No programa, o encontro com o Gil terminou com ele cantando ao lado da Cissa que:

Andar com fé eu vou, que a fé não costuma 'faiá'
Que a fé tá na mulher
A fé tá na cobra-coral
Num pedaço de pão
A fé tá na maré
Na lâmina de um punhal
Na luz, na escuridão

Aqui eu escolhi mudar e prefiro terminar o encontro com o pai do Pedro, com o pedaço de outra canção. Outra canção do mesmo pai, do mesmo Gil. Canção que entoa:

Se eu quiser falar com Deus
Tenho que ficar a sós
Tenho que apagar a luz
Tenho que calar a voz
Tenho que encontrar a paz
Tenho que folgar os nós.

Gostei da escolha. E sinto vontade de continuar com ela a dizer cantando:

E apesar de um mal tamanho
Alegrar meu coração
Se eu quiser falar com Deus
Tenho que me aventurar
Tenho que subir aos céus
Sem cordas pra segurar
Tenho que dizer adeus
Dar as costas, caminhar
Decidido, pela estrada
Que ao findar vai dar em nada
Nada
Nada
Do que eu pensava encontrar

Parece profecia, mas o fato é que, no encontro que deu origem a todos os outros, acendemos a chama do caminhar alegre e inesperado por tantas outras vidas e histórias. E, andando com fé, chegamos a lugares não esperados, conhecemos pessoas, reencontramos, nos encantamos com tanta coisa... descobrimos tantas possibilidades...

Eu, Tissa, aprendi o valor da quietude.

Eu, Cissa, aprendi que, se eu quiser falar com Deus, tenho que encontrar a paz que mora aqui dentro, e que me leva ao encontro do outro, me conduz por caminhos divinos e renova a minha fé. A verdade maior de todos esses encontros pode ser traduzida na simplicidade de uma palavra: renovação.

E, renovada, sigo adiante buscando compreender mais e mais a minha fé.

E, renovada, continuo a viver com muita fé.

AGRADECIMENTOS

Quero agradecer a Deus e ao *Rafael Mascarenhas* por terem me dado este presente que é o programa *Viver com fé*.

Quero agradecer ao GNT, em especial a *Daniela Mignani*.

A toda a minha equipe da Samba Filmes. A nossa produtora executiva *Gabi Figueiredo*; e especialmente a minha diretora, amiga-irmã, *Patricia Guimarães*, a *Tissa*. Muito obrigada por terem caminhado junto comigo e tornado este presente uma linda missão de luz para todos.

E, finalmente quero agradecer muito a todos que compartilharam suas histórias conosco e nos tornaram pessoas melhores e com mais fé.

Muita luz para todos nós!

CISSA GUIMARÃES

Meu muito obrigada ao canal GNT, pela oportunidade! Em especial a *Daniela Mignani* que foi quem deu o aval, apostou e bancou nossos caminhos as vezes meio contra corrente. Dani, um beijo grande!

À equipe de fé do fé: meu muito obrigada estrelado, barulhento e efusivo!

À toda equipe da Samba Filmes: um grande salve e um abraço coletivo!

Em especial, à *Gabi Figueiredo*, todo o meu amor e todos os agradecimentos possíveis e impossíveis.

Aos meus fiéis escudeiros *Liza Scavone* e *Henrique Landulfo*: fé, amor e gratidão. Sem vocês... Ah, sem vocês... *Liza*: você foi uma colaboradora de luxo, não esquecerei jamais.

Guga Millet, a foto da capa ficou linda!

Ao meu amigo *João Carrascosa*, meu sorriso cúmplice de agradecimento e um grito bem alto: João, eu consegui!!!!

E por fim à *Cissa Guimarães*, minha amiga-irmã, meu muito obrigada por tudo do fundo do meu coração transbordante de amor.

PATRICIA GUIMARÃES

À todos aqueles que nos deram de presente suas palavras, suas histórias, e nos deixaram contar e recontar: um agradecimento especial. Nem todos estão neste livro. Mas todos estão em nossos corações agradecidos, agradecidos e agradecidos!

E em especial para: Clara, Bethânia, Virgínia, Ciro, Luiz Augusto, Pedro, Fabiano, Alcio, Ian, Duda, Daniel, Boff, Miguel, Milton, Viviane e Gil: vocês são os verdadeiros autores deste livro e mais uma vez muito obrigada!

CISSA GUIMARÃES E PATRICIA GUIMARÃES

4ª reimpressão Junho de 2014
Papel de miolo Lux Cream 70g/m²
Papel de capa cartão Supremo 250g/m²
Tipografias Joanna MT e DIN